Renée Bernard.
1998

JEUX ET ACTIVITÉS pour les tout-petits

Chantecler

Table des matières

 JEUX D'INTÉRIEUR 

Pour 1 enfant ou plus

Pour 2 enfants 2

Pour de petits groupes 2+

Pour de grands groupes

 ACTIVITÉS MANUELLES 

FÊTES

 PETITS PLATS 

 ACTIVITÉS DANS LA NATURE 

 D'AUTRES IDÉES 

Dessins en ombre

Matériel: *feuille de papier, feutre, spot, plusieurs objets*

Posez une feuille de papier contre un mur ou une armoire et éclairez-la avec un spot. Entre le spot et le papier, placez un objet dont le contour est assez simple. Votre enfant peut représenter l'objet en dessinant le contour de l'ombre.

2

Jeu des paires

Matériel: *cartes postales, ciseaux*

Cherchez quelques cartes postales avec une photo ou un dessin concret. Pas de paysage, mais un animal ou une personne. Découpez les cartes en deux et mettez-les l'une sur l'autre sur la table.
Votre enfant doit chercher quelles cartes vont ensemble et les mettre l'une à côté de l'autre. S'il réussit, il cherche deux autres cartes complémentaires. Si votre enfant a bien compris le jeu, vous pouvez bien sûr le compliquer en découpant les cartes en trois ou en quatre morceaux.

3

Le petit train

Tous les enfants se mettent l'un derrière l'autre, les mains sur les épaules de celui qui se trouve devant lui. Le premier enfant est le chef de gare. C'est lui qui décide de la route. Quand il fait 'tuuut', le train démarre. Quand il fait 'tuuut tuuut', le train doit s'arrêter. Le chef montre aussi le mouvement du train: marcher, sautiller, marcher à pas de souris... et les autres enfants doivent l'imiter.

Dessin à la punaise

Matériel: *punaises de couleurs différentes, plaques de liège, crayon*

Laissez les enfants plus âgés colorier leur dessin avec des punaises. Donnez-leur quelques plaques de liège qui, mises l'une sur l'autre, sont assez résistantes pour que les punaises puissent s'enfoncer. Dessinez sur la plaque une voiture ou une autre image simple, en évitant les détails trop petits. Votre enfant peut ensuite les colorier avec des punaises multicolores. Il suffit d'enfoncer les punaises les unes à côté des autres dans la plaque.

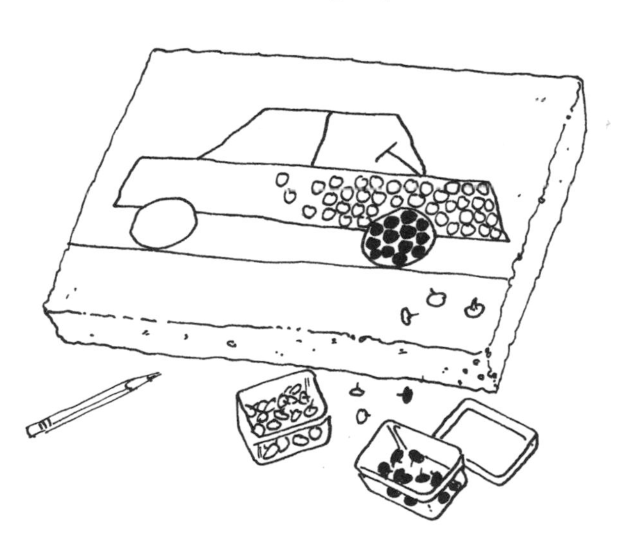

5

Mobile de nuages

Matériel: *papier résistant, ouate, colle, cordes, bâton*

Dessinez sur du papier résistant plusieurs nuages que votre enfant peut découper et rembourrer de morceaux d'ouate. Pendez les nuages à plusieurs hauteurs sur un bâton.

6

Müesli pour enfants

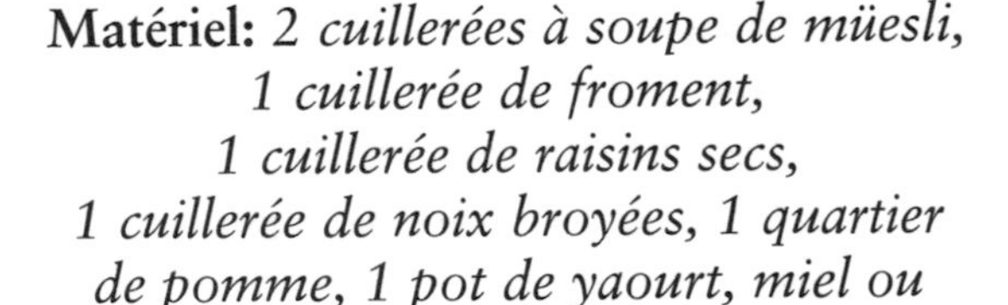

Matériel: 2 *cuillerées à soupe de müesli, 1 cuillerée de froment, 1 cuillerée de raisins secs, 1 cuillerée de noix broyées, 1 quartier de pomme, 1 pot de yaourt, miel ou cassonade*

Posez tous les ingrédients sur la table et donnez une cuiller à votre enfant pour qu'il puisse lui-même verser la quantité indiquée dans un bol. Laissez-le également couper la pomme en petits morceaux. Vous pouvez aussi préparer une plus grande quantité de müesli que vous garderez dans un récipient en réserve, mais, dans ce cas, n'ajoutez pas aussitôt le yaourt et la pomme.

Match de puzzle

Matériel: *deux feuilles de papier résistant, une page de journal ou de calendrier, ciseaux, colle, adhésif double face*

Cherchez une grande page de journal ou de calendrier et collez-la sur une feuille de papier. Coupez-la en plusieurs morceaux (plus il y a de morceaux, plus le puzzle sera difficile). Collez un morceau d'adhésif double face sur chaque morceau. Le match peut maintenant commencer.
Commencez par coller un morceau du puzzle sur la deuxième feuille de papier. Est-ce que quelqu'un a deviné ce que ça représente? Non. Collez un autre morceau, et un troisième, jusqu'à ce qu'un enfant trouve ce que le puzzle représente.

Jeu du miroir

Placez-vous devant votre enfant et dites-lui qu'il est votre miroir et que vous vous regardez dedans. Il doit imiter le moindre de vos mouvements. Commencez avec des choses simples, comme lever les bras. Passez à des poses plus compliquées qui impliquent différentes parties du corps. Ensuite, les rôles peuvent être inversés

Jeu de dés

Matériel: *dix dés*

Chaque enfant reçoit cinq dés et les jette en même temps (attention que chaque enfant reste sur son terrain avec ses dés!). Celui qui a fait des 'un' peut les mettre sur le côté. Les enfants jettent les dés une deuxième fois. Le premier enfant qui les a tous écartés est le vainqueur.

10

Tennis ballon

Matériel: *corde, ballon gonflable*

Les ballons gonflables se prêtent très bien aux jeux d'intérieur. Si vous tendez une corde entre deux chaises, les enfants peuvent même les utiliser pour jouer au tennis. Les raquettes sont les mains.

11

Statues

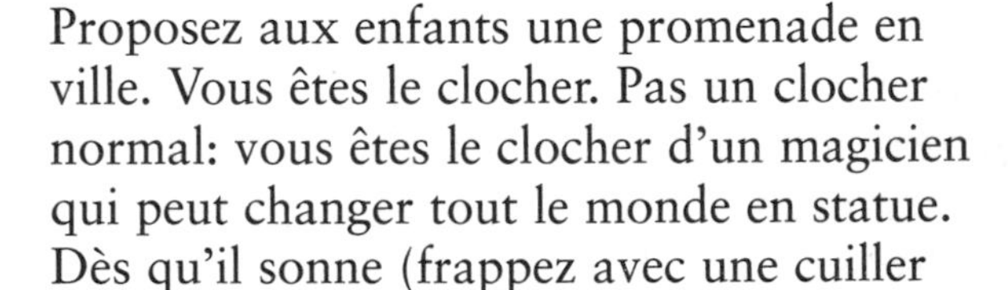

Proposez aux enfants une promenade en ville. Vous êtes le clocher. Pas un clocher normal: vous êtes le clocher d'un magicien qui peut changer tout le monde en statue. Dès qu'il sonne (frappez avec une cuiller sur une casserole et criez les heures à haute voix), tout le monde doit se figer. Jusqu'à ce qu'il arrête de sonner.

Poupées d'œuf comestibles

12

Matériel: *œuf dur, mayonnaise, persil, feutre*

Enlevez à peu près le tiers d'une coquille d'un œuf dur. Ecrasez l'œuf avec une fourchette et mettez-y une cuillerée de mayonnaise. Laissez entre-temps votre enfant dessiner deux yeux, un nez et une bouche sur la coquille. Remettez ensuite le mélange dans la coquille et ajoutez une touffe de persil pour la décoration. Beau et délicieux!

Guirlandes de Noël

Matériel: *papier de couleurs différentes, colle*

Les plus grands peuvent vous aider à fabriquer des guirlandes de Noël.
Découpez vous-même du papier en bandes de 2 cm sur 15 cm. Laissez votre enfant coller les extrémités de chaque bande l'une sur l'autre.
Vous obtenez ainsi un anneau, que vous collez sur une bande d'une autre couleur.
Vous pouvez ainsi fabriquer de très longues guirlandes.

14 Animaux qui dansent

Jouez une bonne musique de danse et demandez aux enfants: 'Comment danseriez-vous si vous étiez un chat?', ou un chien, un cheval, un oiseau, un poisson, une grenouille... Ne leur montrez pas de mouvement, mais laissez-les se déplacer librement, en suivant leur propre imagination.
Les enfants feront peut-être aussi les cris des animaux. Stimulez-les, mais laissez-leur l'initiative.

Course en sac

Matériel: *sacs de jute*

Les courses en sac sont vieilles comme le monde, mais elles restent toujours amusantes, même pour les plus grands. Aidez les enfants à 'grimper' dans le sac et montrez-leur comment ils doivent tenir le bord avec les deux mains. Au signal de départ, ils doivent essayer d'atteindre un point donné. Aidez vers la fin les enfants qui trébuchent en chemin.

Tir aux ballons

Matériel: *corde, ballons gonflables, bâtons*

Veillez à ce qu'il y ait autant de ballons gonflables que de participants. Accrochez à chaque ballon un fil solide de 2 à 4 mètres de long, et un bâton au bout du fil. Alignez les enfants à 2 ou 4 mètres des ballons. Donnez à chaque enfant un des bâtons. Au signal de départ, ils doivent embobiner le fil sur le bâton et ramener le ballon vers eux.
Qui réussira à avoir le premier le ballon à ses pieds?

Attraper l'ombre

S'il y a du soleil, vous pouvez très bien jouer à 'Attraper l'ombre': chaque enfant essaie d'attraper l'ombre de l'autre. Le plus difficile consiste à leur expliquer le but du jeu... mais c'est encore plus amusant après!

18

Devinette en rond

Matériel: *épingle de sûreté,*
petit objet
ou une image d'objet

Les enfants s'asseyent en rond. Prenez un objet (éventuellement attaché à une cordelette) ou l'image d'un objet.
Demandez à un enfant de venir vers vous les yeux fermés.
Placez l'objet dans son dos avec une épingle de sûreté. Il se place au centre du cercle et tourne en rond, pour que tout le monde puisse bien voir l'image. Il doit ensuite essayer de trouver l'objet dans son dos en posant des questions comme: 'Est-ce que c'est rouge? Est-ce que c'est rond? Est-ce que c'est mou?'
Les autres enfants ne peuvent répondre que par 'oui' ou par 'non'.

Moulin à vent

Matériel: *papier résistant, pastel, bâton, clou fin, perle*

Les petits enfants sont émerveillés par les moulins à vent. Découpez dans du papier résistant un carré de 15 cm sur 15. Laissez votre enfant le décorer avec des pastels. Pliez les diagonales et découpez-les jusqu'à 1,5 cm du centre. Repliez les pointes vers l'intérieur et accrochez le moulin avec un clou fin sur le bâton. Pour que le moulin tourne mieux, intercalez une petite perle entre le bâton et le papier.

20

Guirlandes de sable

Matériel: *papier résistant, corde, sable fin*

Fabriquez un entonnoir en papier avec une petite ouverture. Utilisez la corde pour accrocher l'entonnoir à une haute branche. Posez une feuille de papier sous l'entonnoir que vous remplissez avec du sable fin. Laissez votre enfant pousser légèrement sur l'entonnoir. Le sable va alors zigzaguer et dessinera sur le papier des cercles et des courbes.

Mains du bonhomme de neige

Matériel: *gants en plastique, eau, pinces à linge*

Monsieur météo a annoncé de la neige. Dites à votre enfant que vous allez faire un bonhomme de neige demain et commencez déjà à le préparer: ses habits, son chapeau, son écharpe, deux pommes de pin pour les yeux, une carotte pour le nez, un balai... Mais n'oubliez pas ses mains: prenez deux gants en plastique que vous remplissez d'eau et que vous pendez à un étendoir avec des pinces à linge. S'il ne gèle pas suffisamment, vous pouvez aussi les mettre au congélateur. Attachez les gants avec un élastique pour que l'eau ne coule pas.

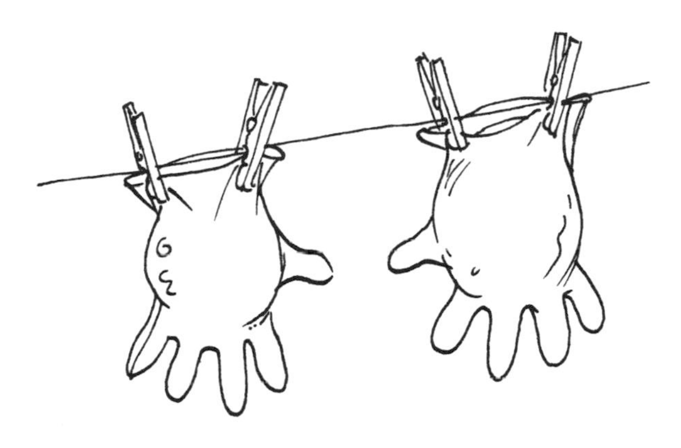

Serpent domino

22

2

Matériel: *jeu de dominos*

Pour que les enfants s'habituent aux vrais dominos, aidez-les à fabriquer un serpent domino. Mettez un domino devant chaque joueur sur la table. Les autres dominos sont placés entre les deux enfants. Ils doivent choisir le domino qui convient et le poser de chaque côté du domino de départ. Le '1' à côté du 1, le '2' à côté du 2, etc. Celui qui fait le plus long serpent a gagné.

23 Pluviomètre

Matériel: *bouteille en verre, entonnoir, vernis à ongles*

Prenez une bouteille en verre et, avec du vernis à ongles, dessinez une échelle de mesure, par exemple une barre pour un centimètre. Mettez la bouteille dehors avec un entonnoir pour que la pluie y tombe plus facilement. Votre enfant regardera après chaque averse combien de pluie est tombée dans son pluviomètre.

24 Journée musicale

Pourquoi ne feriez-vous pas une journée musicale en pleine semaine? Cela signifie que vous et votre enfant (et pourquoi pas les autres membres de la famille!) ne pouvez vous exprimer autrement qu'en chantant. Le rythme et la mélodie n'ont pas d'importance, mais c'est plus facile d'avoir quelques chansons en tête. Allez par exemple réveiller votre enfant en lui chantant: 'As-tu bien dormi?...'

Personnages en pâte d’amandes

25

Matériel: *bloc de pâte d’amandes, amandes, raisins secs, fruits confits*

La pâte d’amandes est facile à modeler. Votre enfant peut l’utiliser comme de la pâte à modeler et façonner des personnages. Prenez des raisins secs pour les yeux, des amandes pour les oreilles, et un fruit confit pour la bouche. Veillez à ce que votre enfant n’utilise que des décorations comestibles!

Regarder les nuages

26

Quand il fait beau, il y a parfois de magnifiques nuages dans le ciel bleu. Profitez-en pour les regarder avec votre enfant, pour rêver et imaginer. Couchez-vous dans l’herbe et essayez de reconnaître des formes dans les nuages: un éléphant, une vieille dame, un chapeau...

27 Chat perché éléphant

Variante du chat perché traditionnel: le 'chat' est un éléphant. Il tient son nez avec sa main gauche et passe sa main et son bras droit à travers 'l'ouverture' de sa main gauche. Il doit essayer de toucher les autres joueurs avec sa main droite. Dès que quelqu'un est touché, il devient éléphant à son tour et aide l'autre à toucher les joueurs. Le jeu continue jusqu'à ce que tous les joueurs soient devenus des éléphants.

Mini-cache-cache

Matériel: *petit objet*

Vous pouvez y jouer avec les tout-petits. Prenez un petit objet, sans que votre enfant le voie, par exemple une bille. Cachez-le dans une de vos mains que vous fermez. Votre enfant doit deviner dans quelle main vous l'avez caché.

Collectionner

Matériel:
collection de quelque chose, boîtes ou sachets

Les enfants aiment collectionner. Mais, en général, ils rangent les objets dans une boîte et ne les utilisent pas. C'est pourtant possible de stimuler la passion de collectionneur de votre enfant et d'en faire quelque chose d'éducatif. Les bouchons de bouteilles par exemple peuvent être classés selon la matière ou la forme. Les plumes et les feuilles peuvent être classées selon la taille et la couleur.
Donnez-lui suffisamment de boîtes et de sachets pour pouvoir inventer une méthode de classement et de rangement.

30 Jeu de la petite porte

C'est une sorte de chat perché. Un des joueurs est le chat. Il doit poursuivre les autres et essayer de les toucher. Dès qu'un enfant est attrapé, il doit rester immobile, bras et jambes écartés. Il ne peut être libéré que si quelqu'un passe entre ses jambes (la petite porte).

31 Castagnettes

Matériel: *deux vieilles cartes postales, quatre petits couvercles à vis, colle*

Pliez les cartes postales en deux, l'image vers le haut. Collez à l'intérieur deux couvercles à vis. Votre enfant prend une carte pliée dans chaque main. En ouvrant et en fermant les mains, les couvercles frappent l'un contre l'autre et font un bruit de castagnettes.

32 Lire sur les lèvres

En parlant sans émettre de sons, vous apprendrez à votre enfant à lire sur les lèvres. Faites des phrases simples, comme 'Prends une pomme' ou des questions comme ‘Comment tu t’appelles?’ Articulez très clairement et ‘parlez’ lentement.

Dessins debout

33

Matériel: *papier résistant ou carton, ciseaux, matériel de dessin*

Laissez votre enfant dessiner et colorier des formes simples sur du papier résistant ou sur du carton (par exemple des boîtes utilisées): voitures, maisons, personnages, arbres... Découpez-les, mais laissez une bande que vous pouvez plier. Montrez à l’enfant comment elles peuvent tenir droit et laissez-le les arranger selon sa propre fantaisie.

34

Arbre à bonbons

Matériel: *coquilles de noix, bonbons, colle, petit ruban, branches tordues, pot de fleur avec de la terre*

Remplissez des coquilles de noix vides avec des bonbons, des noix, des raisins secs... Recollez les deux moitiés l'une contre l'autre avec un ruban plié en deux. Plantez les branches dans un pot de fleur et accrochez-y les noix.
Cet arbre à bonbons est particulièrement recommandé pour les jeux où chaque enfant doit recevoir une récompense.

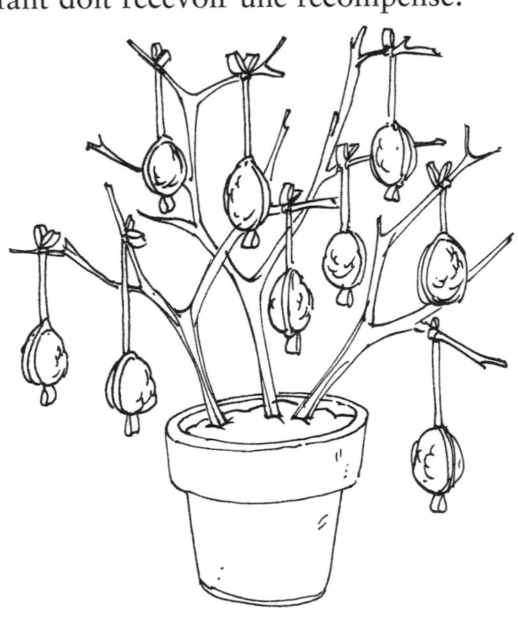

Poupée aux cheveux verts

35

Matériel: *pot de yaourt, feutres, terre, graines de cresson*

Si vous avez des graines de cresson, vous pouvez fabriquer une poupée aux cheveux verts qui poussent tout seuls et que votre enfant peut couper et manger! Faites-le dessiner un visage sur un pot de yaourt ou un autre pot en plastique. Remplissez-le de terre humide et plantez des graines de cresson. Mettez le pot dans un endroit bien éclairé et demandez à votre enfant de l'arroser de temps en temps.

Balle qui roule

36

Matériel: *balle*

Les enfants se mettent en cercle, les jambes écartées et les pieds contre ceux du voisin. Mettez-vous au milieu avec une balle et essayez de la faire sortir du cercle. Les enfants doivent essayer d'arrêter la balle avec les mains. L'enfant qui laisse passer la balle prend votre place au milieu du cercle.

37

Jeu d'alphabet

Matériel: *cartes avec des lettres*

Faites une série de cartes où vous écrivez à chaque fois une lettre différente, en éliminant les lettres comme Q, X, Y, W et Z. Préparez au moins 5 cartes de chaque lettre.
Choisissez une lettre, montrez-la à votre enfant et cherchez ensemble des objets qui commencent par cette lettre. Mettez la carte correspondante derrière chaque objet. Refaites le jeu le lendemain avec une autre lettre, jusqu'à ce que votre enfant les connaisse toutes par cœur.

38

Mon corps

Matériel: *papier, feutre, craies de couleur*

Votre enfant pose sa main, doigts écartés, sur une feuille de papier. Dessinez-en le contour avec un gros feutre. Faites de même avec son pied. Quand votre enfant a compris le principe, faites la même chose avec son corps tout entier. Prenez pour cela un vieux rouleau de papier peint. Dessinez le contour et laissez votre enfant compléter et colorier son corps.

Réussite de l'horloge

39

1+

Matériel: *carton, feutre, cartes à jouer*

Découpez un grand cercle dans un carton. C'est l'horloge. Écrivez dessus les chiffres entre 1 et 10. À la place de 11 et de 12, dessinez un valet et un roi. Dessinez la dame au milieu de l'horloge.
Mélangez le jeu et laissez chaque enfant placer les cartes autour de l'horloge, les dames au milieu.

Course de ski

Matériel: *boîtes à chaussures (2 par enfant)*

Les skis des enfants sont en fait des boîtes à chaussures, une pour chaque pied. Le but est de skier le plus vite possible vers la ligne d'arrivée.

Tirer des sacs de sable

Matériel: *sac de sable, cordes*

Faites asseoir les enfants en rond. Mettez au milieu du cercle un sac de sable de 10 kilos (plus lourd si les enfants sont plus grands). Autant de cordes que d'enfants pendent au sac, et chacun en attrape une, qu'il tient par le bout. Le but est de tirer le sac vers soi.

Lancer de balles

42

Matériel: *corde, vieilles chaussettes ou torchons, glands ou noisettes*

Chaque enfant tient une corde d'environ 1 mètre au bout de laquelle est accrochée une 'balle'. C'est un torchon ou une chaussette rempli de glands ou de noisettes et bien fermé. Les enfants se placent derrière une ligne et essaient de lancer leur balle aussi loin que possible.

Bonhomme de neige

43

Matériel: *vieux drap blanc*

Faites asseoir les enfants en rond et déposez au milieu du cercle un grand drap blanc. Pendant qu'ils ferment les yeux, choisissez-en un qui va se cacher sous la couverture. Tous les enfants ouvrent alors les yeux. Qui est le bonhomme de neige? Qui a disparu du cercle?

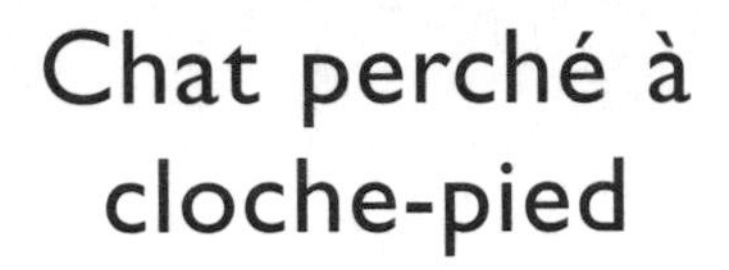

Chat perché à cloche-pied

Matériel: *cerceaux*

Variante amusante du chat perché normal. Un des enfants est le chat, et les autres reçoivent un cerceau qu'ils posent sur l'herbe, quand ils sont bien dispersés. Ils se mettent à l'intérieur du cerceau. Quand le chat crie 'Cerceau', les enfants doivent courir se placer dans un autre cerceau. Mais pendant qu'ils changent de place, le chat essaie de les toucher. Celui qui se fait attraper reste dans un cerceau et ne peut plus jouer. S'ils arrivent à entrer dans le cerceau, ils ne peuvent plus se faire toucher. Le dernier enfant qui se fait toucher est le gagnant.

45

Traces

C'est une activité très amusante sur la plage: les enfants doivent essayer de marcher sur leurs traces de pas. Tracez d'abord un chemin devant chaque enfant, l'un à côté de l'autre, avec des petits ou des grands pas. Les enfants doivent se positionner au début de leur chemin et vous les attendez

à l'autre bout. Quand ils sont arrivés à vous 'sur leurs traces', allez voir ensemble quel chemin a été le mieux respecté.

Éclaboussures

Matériel: *peinture, brosse à dents, grillage, papiers, objets lavables*

Mettez sur une feuille de papier un objet que vous pouvez laver facilement ou jeter. Donnez à votre enfant une brosse à dents avec de la peinture et laissez-le jeter de la peinture sur un grillage. La peinture va alors tomber en petites éclaboussures sur l'objet et le papier. Quand vous enlevez l'objet, il reste une tache blanche. Tout ce qui a une forme intéressante peut être utilisé pour faire des éclaboussures: clés, ciseaux, trombones, fleurs, feuilles...

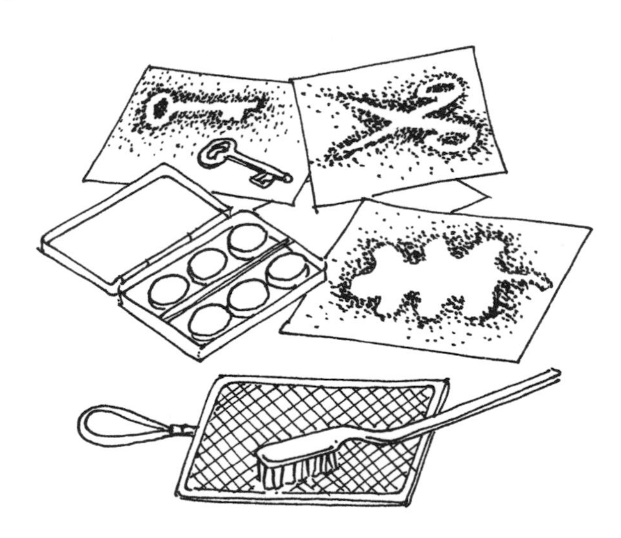

Chasse au trésor

47

Matériel: *sac*

Vous pouvez vous promener avec votre enfant pour prendre l'air, mais une promenade peut aussi être éducative. C'est la reconnaissance du monde extérieur, et cela permet de découvrir des trésors: des pommes de pin, des noisettes et d'autres fruits secs, des feuilles, des coquillages, des cailloux... Vous pouvez les ramasser dans un sac, et les utiliser dans des bricolages ou des jeux à la maison, ou les ranger dans une boîte pour les employer plus tard.

Vagues d'océan

48

Matériel: *bouteille en plastique, huile de cuisine, colorant bleu*

Rincez bien la bouteille et enlevez l'étiquette. Remplissez-la d'une moitié d'eau et d'un tiers d'huile. Ajoutez quelques gouttes de colorant bleu, puis remettez le bouchon.
Votre enfant peut faire ses propres vagues en remuant légèrement la bouteille à l'horizontale.

49

Jeu d'écoute

Matériel: *lecteur de cassettes*

Enregistrez plusieurs sons avec une radiocassette: une porte qui claque, un chien qui aboie, un robinet qui coule, une voiture qui démarre, une cuiller qu'on tourne dans une tasse. Votre enfant doit essayer de les reconnaître.

50

Maïs soufflé

Matériel: *poignée de maïs, 2 cuillerées à soupe d'huile*

Ne laissez pas les petits souffler eux-mêmes le maïs. Ils s'amuseront tout autant à regarder et à écouter. Chauffez l'huile dans un grand poêlon et jetez-y les grains de maïs. Remuez-le jusqu'à ce que le fond soit bien enduit et mettez le couvercle. Le maïs va commencer à gonfler. Enlevez le couvercle pour leur montrer comment le maïs explose, cela amuse toujours les enfants. Quand vous n'entendez plus de bruit, enlevez le poêlon du feu et laissez un peu refroidir les 'pop-corn'. Votre enfant peut bientôt les déguster ou fabriquer une guirlande (voir n° 260).

Course en double

Matériel: *foulards*

Placez les enfants deux par deux derrière la ligne de départ. Attachez-les ensemble avec un foulard à hauteur de la cheville. Quelle équipe arrivera la première?

52

Mobile

Matériel: *cintre en bois, clous, fil, papier résistant, couleurs, ciseaux*

Laissez votre enfant dessiner, colorier et découper toutes sortes de formes sur le papier. Attachez-les avec du fil sur un cintre en bois avec quelques clous. Si vous pendez le mobile au-dessus d'un radiateur ou devant une porte ouverte, les formes bougeront sans arrêt.

Dessiner les contours

53

Matériel: *toutes sortes d'objets, grande feuille de papier, crayon ou feutre, crayons de couleur ou pastels*

Étendez le papier (par exemple du papier peint) sur le sol et fixez-le avec du papier collant. Laissez votre enfant chercher des objets avec une base plus ou moins plate: une tasse, des ciseaux, un livre, un marteau, une brosse à dents... que vous disposez sur le papier. Il doit en dessiner le contour avec un crayon ou un feutre, et le colorier.

Jardin en éponge

54

Matériel: *éponge naturelle, graines pour oiseaux, seau d'eau*

Humidifiez bien l'éponge et enfoncez les graines pour oiseaux dans les trous, sauf en dessous. Plongez l'éponge dans un seau d'eau que vous placez à un endroit éclairé, par exemple sur l'appui de la fenêtre. Les graines vont germer de tous les côtés. Et tant que votre enfant veillera à garder l'éponge humide, les plantes continueront de pousser.

55

Jeu de devinettes

Matériel: *bandeau, toutes sortes d'objets*

Ce jeu de devinette aidera les petits enfants à vaincre leur peur du noir et exercer leurs goûts. Mettez le bandeau sur ses yeux (continuez de lui parler, car il ne voit plus rien!) et donnez-lui un objet familier. Un jouet, un vêtement, une pomme. Laissez-le sentir l'objet et deviner ce que c'est. Enlevez régulièrement le bandeau pour montrer à l'enfant ce qu'il a découvert.

56

Course sur l'eau

Matériel: *feuilles, branches, caillou*

Partez avec l'enfant à la recherche d'une rivière ou d'un ruisseau avec un courant assez important. Laissez tomber toute une série d'objets dans l'eau. Certains suivront le courant, d'autres pas. De plus, tous les objets n'iront pas à la même vitesse. Apprenez à votre enfant à bien observer. Après quelque temps, il aura compris quel objet il doit prendre pour gagner la course sur l'eau.

Jeu de trous

2+

Matériel: *sable, coquillages, surprise, balle*

On joue à ce jeu sur la plage. Creusez 6 trous qui forment un triangle (voir dessin). Dans les trois trous qui forment la base, déposez plusieurs petits coquillages. Dans les deux suivants mettez des coquillages un peu plus gros. Et dans le dernier, placez quelques surprises ou des bonbons emballés.
Faites reculer les enfants à quelques pas du triangle. Ils peuvent maintenant à tour de rôle essayer de faire rouler la balle dans un des trous. Celui qui réussit peut prendre ce qui s'y trouve. Le jeu se termine quand il n'y a plus de surprise.

Suivre la corde

Matériel: *longue corde, surprise*

Cachez une surprise dans le jardin, à l'insu de votre enfant. Accrochez-y une longue corde et promenez-vous, en déroulant la corde, le long d'un chemin sinueux vers la maison. Votre enfant doit maintenant suivre la corde pour retrouver la surprise.

Conversations radio

Matériel: *radiocassette, micro*

Les enfants aiment entendre leur propre voix. Si vous avez une radiocassette avec un micro, vous pouvez enregistrer des chansons et des histoires. Faites-les jouer les reporters. Expliquez aux enfants plus âgés comment fonctionne l'appareil.

Peintures à l'eau

60

Matériel: *eau, pinceau*

S'il fait chaud, vous pouvez emmener votre enfant faire de la peinture à l'eau à l'extérieur. Donnez-lui un seau d'eau, un bon pinceau et un sol stable (par exemple le sol de la terrasse).
La peinture à l'eau a le grand avantage de ne pas laisser de trace, vous pouvez donc laisser votre enfant jouer tranquillement.

Soupe aux pâquerettes

Matériel: *soupe, pâquerettes*

Demandez à votre enfant de cueillir quelques pâquerettes sans racine. Lavez les fleurs à l'eau et laissez-les sécher sur un papier essuie-tout.
Mettez-les ensuite sur une assiette et servez-les avec la soupe.
Laissez l'enfant jeter lui-même les pâquerettes dans la soupe. Elles s'ouvriront comme des nénuphars et flotteront.
Elles sont bien sûr comestibles.

62 Jeu de mémoire musical

Matériel: *quelques instruments de musique ou objets qui font du bruit*

Montrez trois instruments à votre enfant: une flûte, un tambour et un harmonica. Ou: une clochette, un trousseau de clés et un pot avec des billes. Faites-lui entendre les différents sons. Demandez-lui alors de fermer les yeux et montrez-lui trois sons différents. Votre enfant rouvre les yeux et essaie de les rejouer dans l'ordre. S'il réussit, vous pouvez varier en changeant l'ordre ou en jouant plus de sons. Par exemple: flûte - tambour - flûte - harmonica - tambour.

63 Araignée sur sa toile

Matériel: *cadre en bois, clous, boîte à œufs, laine, cure-pipes, peinture noire*

Enfoncez plusieurs clous aux quatre coins du cadre. La distance entre les clous n'a pas d'importance. Attachez la laine à un des clous et laissez votre enfant tendre le fil de la toile d'un clou à l'autre, pour obtenir un vrai labyrinthe. Fabriquez ensuite une araignée: coupez un des ‘pots’ de la boîte à œufs, peignez-le en noir, faites des trous des deux côtés et plantez les cure-pipes pour les pattes. L’araignée est prête à s’installer dans sa toile.

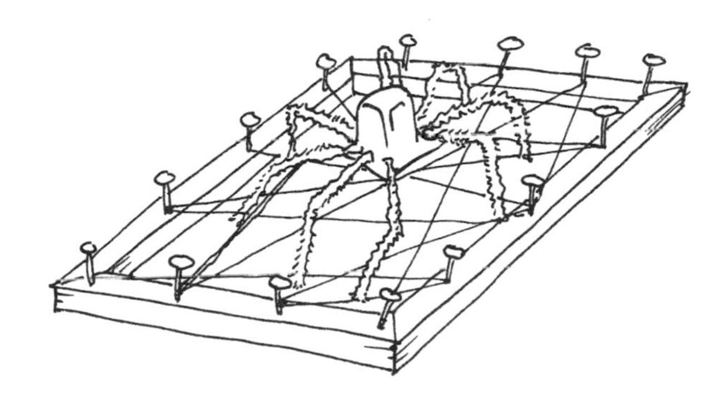

Mini-étang

Matériel: *plat en plastique, fleurs*

Les enfants aiment cueillir des fleurs, mais ils ne comprennent pas que les fleurs sans tige meurent dans un vase. Vous pouvez ici les laisser flotter (sans leur tige) comme de vrais nénuphars. C’est très joli!

Combat de coqs

Deux enfants se transforment en coq: ils croisent les bras sur la poitrine et mettent leur pied gauche dans le creux du genou droit. Quand vous criez ‘A l’attaque!’, chaque coq essaie de déséquilibrer l’autre. Le premier qui pose sa jambe gauche sur le sol perd le combat. Le gagnant rencontre alors d’autres coqs.
Continuez le jeu jusqu’à ce qu’il ne reste qu’un vainqueur.

Fée des fleurs

66

Matériel: *fougères, fleurs, feuilles, blanc d'œuf*

Les enfants aiment se déguiser. Ils n'ont pas besoin de vrais vêtements: ils trouveront tout ce qu'il faut dans la nature. Accrochez des fougères à la ceinture pour faire une jupe, faites-leur des couronnes, des colliers et des bracelets de pâquerettes. Le clou du spectacle est le maquillage de fleurs: laissez d'abord les fleurs et les feuilles sécher quelques heures sous un grand poids. Ensuite, placez-les sur la peau avec un peu de blanc d'œuf battu en neige.

Graines magiques

Matériel: *3 cuillerées de graines pour oiseaux, papier essuie-tout résistant, élastique, petit verre, eau*

Mettez les graines au milieu d'une feuille de papier essuie-tout. Repliez les coins vers le haut et fermez cette 'balle' avec un élastique. Placez-la à l'envers sur le verre rempli d'eau. Le papier doit pendre dans l'eau. Après quelques jours, les graines germeront.

68

Collier de neige

Matériel: *billes de polystyrène, pailles, aiguille et fil*

Les billes de polystyrène ressemblent à la neige. On peut facilement les enfiler, par exemple en alternance avec des petites pailles blanches découpées en morceaux. N'oubliez pas que, une fois le bricolage terminé, les vêtements de votre enfant seront couverts de petites billes blanches!

69

Trier les cartes

Matériel: *jeu de cartes*

Les petits ne savent pas encore jouer à de vrais jeux de cartes, mais vous pouvez leur apprendre à trier: selon la couleur (rouge et noir), la forme (cœur, carreau, trèfle, pique) ou le chiffre (1, 2, 3...).
Sortez un as rouge et un as noir du jeu et posez-les sur la table.
Ensuite, mélangez le paquet et laissez votre enfant choisir une carte. Il doit la mettre sur le bon tas: les cartes rouges sur l'as rouge, les noires sur l'as noir.
Procédez de la même manière pour les autres variantes de tri.

Ballon sur un bâton

Matériel: *ballons, journaux, adhésif*

Laissez d'abord les enfants rouler les journaux en cônes. Attachez-les avec de l'adhésif, pour qu'ils ne se déroulent pas. Les enfants doivent placer leur ballon au-dessus du cône et essayer de le tenir en l'air aussi longtemps que possible. Le dernier qui laisse tomber son ballon par terre a gagné.

71

Vitrail

Matériel:
papier à dessin, papier journal,
gros feutre noir, crayons de couleurs,
huile, pinceau

Votre enfant fait d'abord un dessin au gros feutre noir et le colorie avec les crayons de couleurs. Mettez ensuite le papier, dessin au-dessous, sur une grande page de journal. Couvrez toute la surface d'huile, pour que le papier devienne transparent et que le dessin ressemble à un vitrail. Accrochez le dessin à la fenêtre pour que la lumière passe à travers.

72

Fête du déguisement

Matériel: *vieux vêtements,*
vieilles chaussures

Quoi de plus amusant pour un enfant que de se déguiser et devenir quelqu'un d'autre: une fée, un magicien, un clown, un docteur. Prenez l'habitude de ne jamais jeter les vieux vêtements et de les garder dans une boîte ou une caisse. Prévoyez également des rubans et des ceintures pour soutenir les vêtements trop grands.

Oiseau qui caquette

Matériel: *enveloppe d'une boîte d'allumettes, papier à dessin, feutres de couleurs, pince à linge*

L'oiseau qui caquette est un très bon jeu à faire avec votre enfant. Recopiez le modèle ci-dessus sur du papier à dessin. Découpez les deux parties et collez-les au bout de la pince à linge (au-dessus et au-dessous). Collez la partie C sur l'enveloppe de la boîte d'allumettes, et faites passer la pince à linge par l'enveloppe. Pour faire caqueter l'oiseau, l'enfant doit pousser sur la pince à linge.

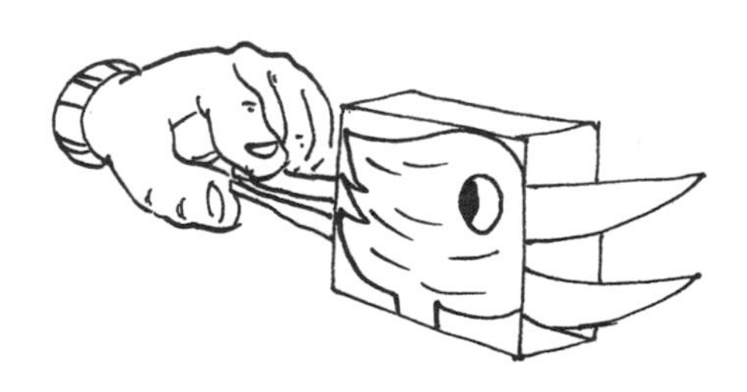

74

Animaux qui balancent

Matériel: *coquilles de noix, pâte à modeler, papier résistant, couleurs, ciseaux*

Dessinez sur du papier résistant des animaux simples que votre enfant peut découper et colorier. Remplissez les demi-coquilles de noix avec de la pâte à modeler et attachez les animaux: ils se balanceront sans se renverser.

75

Meringues

Matériel: *4 blancs d'œufs, 250 grammes de sucre en poudre tamisé, farine*

Laissez votre enfant battre les blancs d'œufs dans un grand bol. Les plus grands enfants peuvent se servir du mixer. Ajoutez progressivement la moitié du sucre pendant que votre enfant continue de battre les œufs. Mélangez ensuite le

reste du sucre aux blancs d'œufs.
Prenez une plaque à pâtisserie que vous huilez et que vous saupoudrez de farine. Votre enfant peut déposer, à 2 ou 3 cm d'intervalle, une cuillerée du mélange sur la plaque.
Cuisez ensuite les meringues dans un four préchauffé (110° C) jusqu'à ce qu'elles soient solides et légèrement brunes.
Laissez-les refroidir sur une grille.

Jouer aux billes

Matériel: *billes, papier*

Ce sont en général les enfants un peu plus âgés qui jouent aux billes, mais il existe des jeux simples pour les plus petits.
Découpez un cercle dans du papier, d'un diamètre de 15 cm environ. Déposez-le sur le sol et mettez 10 billes dessus.
Donnez 5 billes à chaque enfant et chacun recule à un mètre du cercle.
Chacun à leur tour, ils vont faire rouler une bille vers le cercle en essayant de pousser les autres billes en dehors.
Toutes celles qui sortent appartiennent dorénavant au joueur.
Le jeu est fini quand un joueur n'a plus de bille ou quand le cercle est vide.

77

Bouteilles musicales

Matériel: *sept bouteilles en verre, eau, bâton*

Faire de la musique soi-même, quel bonheur pour l'enfant. Il n'est même pas indispensable d'acheter des instruments. Remplissez des bouteilles de différentes quantités d'eau. Si vous frappez dessus avec un bâton, elles feront toutes un son différent. Si vous transportez votre 'carillon à bouteilles' à l'extérieur, où l'eau peut éclabousser sans dommage, votre enfant peut s'amuser à varier les tons. Donnez-lui alors un seau d'eau, un petit pot et un entonnoir pour qu'il soit équipé.

78

Sapin de Noël dans la neige

Matériel: *morceau de carton, papier vert résistant, crayon, ciseaux, colle, ouate*

Pour Noël, votre enfant peut créer des sapins pour décorer la table. Découpez d'abord dans du carton un sapin symétrique. Votre enfant peut utiliser cette forme pour dessiner plusieurs sapins sur le papier vert, et les découper. Accrochez-les ensuite deux par deux, pour qu'ils tiennent debout. Il ne reste plus que les flocons: de petits morceaux d'ouate fixés avec un peu de colle.

Pêche à l'anneau

79

Matériel: *sable, anneau, bâtons*

Sur la plage ou dans le bac à sable. Donnez un bâton à chaque enfant. Creusez un trou dans le sable et cachez-y un anneau. Ils doivent essayer de pêcher l'anneau avec leur bâton. Celui qui réussit a gagné.

80

Comme un poisson

Matériel: *papier bleu, colle, sable, coquillages, photo de l'enfant, pastels ou feutres*

Parlez à votre enfant de la mer, expliquez-lui comment nager et pêcher des animaux marins. Faites pendant ce temps une peinture de mer: mettez de la colle sur une moitié du papier bleu et versez-y du sable. Tenez le papier en oblique pour enlever le sable en trop. Ajoutez quelques coquillages pour le rendre encore plus authentique. Collez dans l'eau le portrait de votre enfant. Donnez-lui un corps de poisson, une queue et des nageoires. Laissez votre enfant dessiner d'autres poissons.

81

Peinture avec les doigts

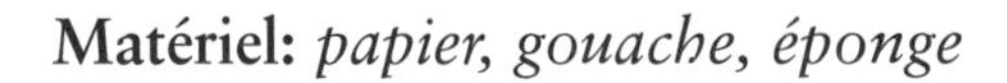
Matériel: *papier, gouache, éponge*

Vous trouverez de la peinture à doigts dans les magasins spécial hobbies, mais vous pouvez utiliser aussi de la gouache. Mettez-en un peu sur une éponge bien humide. Votre enfant n'a plus qu'à bien imprégner ses doigts dans l'éponge puis les appliquer sur la feuille de papier.

Chat perché à queue

82

Matériel: *longue écharpe*

A chat perché, un des enfants essaie de toucher les autres. A chat perché à queue, le chat reçoit une longue écharpe qu'il laisse pendre (sans épingle de sûreté!). Il essaie de toucher le plus de monde possible. Tous les enfants attrapés restent immobiles, jambes écartées. Ils peuvent essayer, sans bouger de leur place, d'attraper la queue du chat. Celui qui réussit devient le nouveau chat.

Balles Velcro

83

Matériel: *plaque de latex, peinture, carton, colle, balles de ping-pong, Velcro*

Dessinez sur une plaque de latex un clown ou un autre personnage et découpez-le. Collez-le ensuite sur du carton. Fixez du Velcro sur quelques balles de ping-pong. Les enfants jettent à tour de rôle les balles vers les personnages. Si elles les touchent, elles resteront accrochées. Qui vise le mieux?

Jeu d'argent

Matériel: *pièces de monnaie, papier fin, crayons de couleurs*

Mettez une pièce de monnaie sous un papier pas trop épais et laissez votre enfant la décalquer avec un crayon. Le relief de la pièce sera alors visible sur le papier. Il peut dessiner plusieurs pièces de monnaie pour les utiliser dans son petit magasin.

Bingo junior

Matériel:
deux grands morceaux de carton, vieux cahiers ou livres à colorier, ciseaux, colle, sac opaque

Vous pouvez jouer au bingo à tout âge. Fabriquez la plaque de jeu et les cartes comme expliqué au n° 221, mais faites deux copies noir et blanc et faites le même nombre de cartes que pour le jeu en couleurs. Mettez les cartes dans un sac opaque.
Chaque enfant reçoit un plateau de jeu et prend une carte dans le sac. Le premier qui a rempli toute une série a gagné.

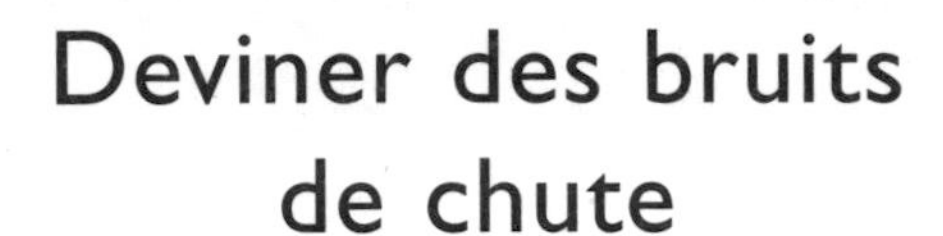

Deviner des bruits de chute

Matériel:
quelques objets incassables

Déposez plusieurs objets sur la table (pour les petits, pas plus de trois). Votre enfant doit deviner, les yeux fermés, quel objet vous laissez tomber par terre ou dans un bac.
Échangez ensuite les rôles: les enfants adorent commander le jeu. Si vous vous trompez, il ne pourra pas cacher sa joie!

87

Guirlande serpent

Matériel: *rouleaux de papier toilette, agrafeuse, corde, peinture*

Gardez autant de rouleaux de papier toilette que vous pouvez et donnez-les à votre enfant pour qu'il les peigne. Il faut au moins dix rouleaux pour que votre serpent puisse vraiment zigzaguer.
Le premier rouleau est la tête. Passez une corde d'un mètre de long à l'intérieur des rouleaux. Aplatissez une des extrémités du premier rouleau, enfoncez une langue rou-

ge (découpée dans du tissu) et fixez le tout avec des agrafes (voir dessin). Votre enfant fera passer la corde au travers des autres rouleaux. Agrafez le dernier rouleau à la corde en la faisant dépasser pour faire la queue. Coupez le reste de la corde.

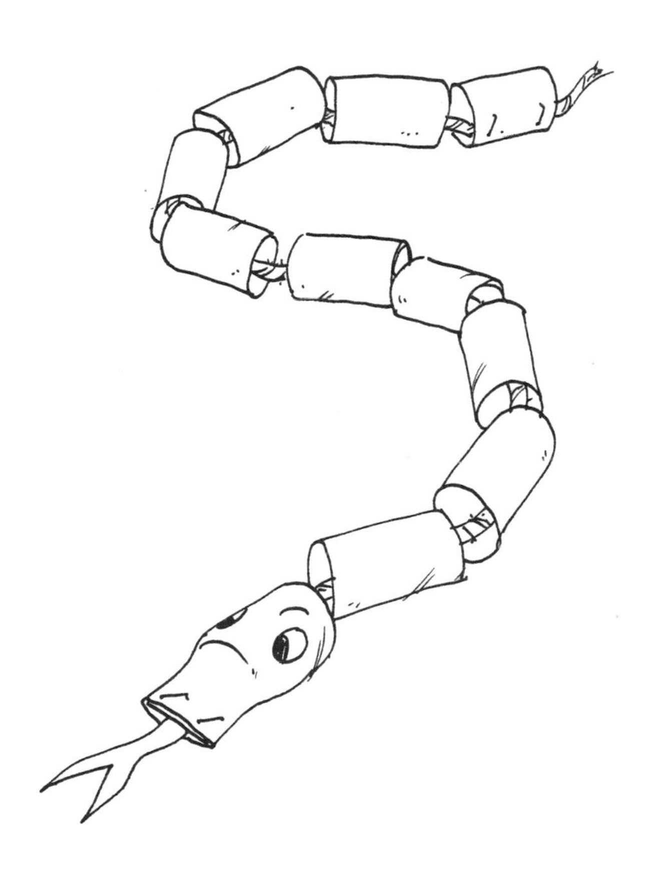

88

Petit Poucet

Matériel: *capsules de bière, surprise*

A l'insu de votre enfant, cachez une petite surprise ou un bonbon dans la maison, et tracez un parcours de capsules qui passe par le couloir, l'escalier, plusieurs chambres... et qui mène à la surprise. Racontez l'histoire du Petit Poucet et de l'Ogre, en insistant sur les petits morceaux de pain que le Petit Poucet avait semés pour retrouver son chemin. Quand l'histoire est terminée, laissez votre enfant suivre la piste jusqu'à la surprise.

89

Pistolets à eau

Matériel: *bouteilles de produits ménagers (avec gicleur)*

C'est simple de fabriquer un pistolet à eau. Enlevez le bouchon de la bouteille, rincez-la bien, remplissez-la d'eau et remettez le bouchon.
S'il fait chaud, donnez à chaque enfant un pistolet et mettez-les en cercle, le dos vers l'intérieur du cercle. Au signal de départ, ils avancent de trois pas, se retournent et... commencent à s'éclabousser!

Poupées qui dansent

Matériel: *papier, ciseaux, couleurs*

Pliez une bande de papier comme un accordéon. Découpez ensuite une poupée dont les bras tendus touchent le bord du papier. Dépliez le papier et laissez votre enfant colorier la poupée.
En collant plusieurs poupées l'une à l'autre, vous obtiendrez une immense guirlande de poupées.

91

Peinture à boutons

Matériel: *boutons, tissu, fil, aiguille*

Même si un vêtement a été longtemps porté, les boutons sont encore bons. Conservez-les dans une boîte, pour jouer avec des vieux vêtements et apprendre à l'enfant à se servir d'un fil et d'une aiguille. Dessinez un personnage simple sur le tissu et demandez à votre enfant de coudre les boutons sur les lignes de contour.

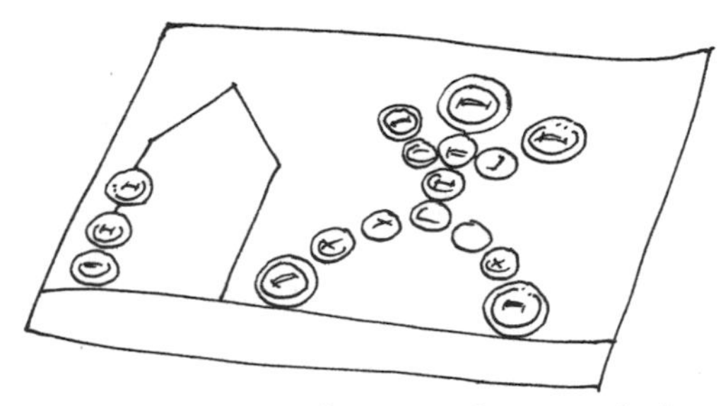

92

Dessin dans le sable

Matériel: *papier résistant, tube de colle, sable*

Demandez à votre enfant de dessiner quelque chose avec un tube de colle. Quand c'est prêt, posez délicatement du sable sur le papier et secouez pour enlever le sable en trop.

Chat et souris

Les enfants doivent se mettre en cercle. L'un d'eux marche autour du cercle et donne à chacun une tape sur l'épaule en disant 'souris'.
Tout à coup, il dit 'chat'. Il doit alors courir le plus vite possible autour du cercle, poursuivi par le chat qui essaie de le toucher avant qu'il ait pris sa place. Si le chat réussit à le toucher, il reprend sa place. Sinon, les rôles sont inversés.

Toile magique

Matériel: *longue corde,*
pinces à linge multicolores,
toutes sortes d'objets

Transformez la chambre de votre enfant en un nouveau monde: une forêt, un zoo, une autre planète, un château hanté...
Tendez une corde à travers toute la chambre, d'un mur à l'autre, derrière le radiateur, via le porte-manteau, sur un clou dans le mur...
Veillez à ce que la toile ne soit pas trop haute pour l'enfant. Laissez pendre toutes sortes d'objets qui appartiennent à son nouveau monde.

95

Chasse aux fantômes

Matériel:
boîtes, chaises, tabourets,
petite table, coussins

Faites un parcours rempli de toutes sortes de grands objets et tracez un chemin. Le parcours doit commencer par une porte, pour que l'enfant puisse entrer directement dans le pays des fantômes. Expliquez-lui tout ce qu'on peut voir et ressentir sur le chemin. L'enfant se met dans la peau de quelqu'un d'autre et apprend à inventer des situations par lui-même.

96

Poupées en cure-pipes

Matériel: *cure-pipes de tailles et de couleurs différentes*

Les cure-pipes sont excellents pour le bricolage. On peut facilement les plier dans toutes sortes de formes, et il n'y a pas besoin de colle ou de papier collant pour les attacher l'un à l'autre.
Laissez votre enfant fabriquer des poupées dans différentes positions. Elles peuvent aussi être intégrées dans un dessin. La

poupée peut ainsi marcher sur un chemin dessiné dans un bois lui-même dessiné, ou être assise à une table dessinée sur une chaise elle-même dessinée.

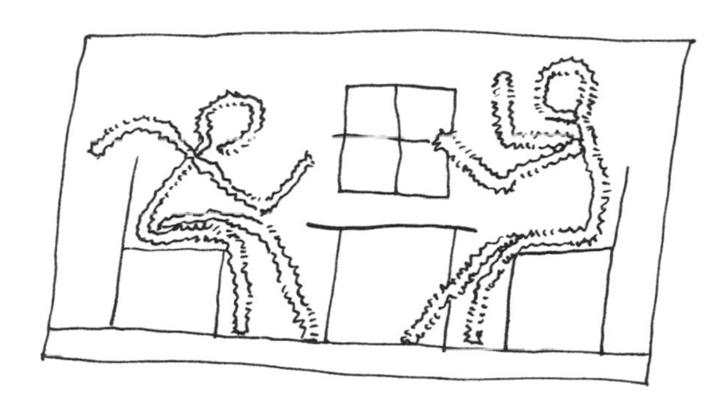

Jeu de la pomme

Matériel: *grande bassine d'eau, quelques pommes pas trop grosses*

Ce jeu est plus indiqué pour l'extérieur, car il provoque des débordements d'eau! Le but est que les enfants essaient d'attraper avec les dents une pomme qui flotte. Celui qui réussit en premier a gagné et peut manger la pomme.

98 Pieds sensibles

Matériel: *toutes sortes d'objets incassables, bandeau*

Bandez les yeux de votre enfant et déposez sur le sol, à quelques centimètres de distance, quelques objets inoffensifs: un livre, une brosse, une écharpe... Dites à votre enfant combien d'objets il doit trouver. Il ne peut passer à un autre objet que s'il a reconnu le premier avec ses pieds.

99 Jeu des touristes

Dites à votre enfant que, dans les autres pays, des gens étrangers parlent une autre langue. Vous pouvez ensemble écouter une radio étrangère. Ensuite, partez avec lui à l'étranger. Racontez ce que vous voyez. A un certain moment, dites-lui que vous devez aller aux toilettes, ou que vous avez envie de regarder la télévision, ou que vous avez faim... Mais comment expliquer tout cela à des gens qui ne parlent pas la même langue que vous? Ensemble, vous pouvez commencer à 'parler' de plusieurs choses en utilisant toutes sortes de mimiques et de gestes.

Jeu d'observation

Matériel: *grande couverture*

Laissez les enfants s'asseoir autour de vous, les yeux fermés. Enfilez la couverture pour que seul votre visage soit encore visible. Dites aux enfants d'ouvrir les yeux pour jouer à un jeu de devinette. Posez des questions sur les vêtements que vous portez. Par exemple: 'Ai-je des boutons sur ma chemise? De quelle couleur sont mes chaussures? Est-ce que je porte une ceinture?' Puis, sortez de la couverture et discutez des questions et des réponses.

Maquillage

Matériel: *maquillage à l'eau*

Pour une fête d'anniversaire ou de carnaval, ou s'il pleut dehors, c'est très amusant de se maquiller. Quelques traits sont suffisants pour donner une nouvelle tête à un enfant. Vous pouvez les maquiller avec des restes de maquillage, du rouge à lèvres, du fard à paupières. Mais n'oubliez pas que la peau d'un enfant est très fragile.

Il vaut donc mieux acheter du vrai maquillage à l'eau pour enfants. Ça s'emploie comme la peinture à l'eau et ça ne déteint pas. De plus, on peut l'enlever avec de l'eau et du savon, et ça coûte moins cher que le maquillage à base d'huile.

Promenade découverte

Matériel: *papier et crayon*

Transformez votre prochaine promenade avec votre enfant en 'découverte'. Séparez une feuille de papier en parties égales et dessinez sur chacune d'entre elles ce qu'il y aura à voir: un arbre, une fleur, une maison, un poteau électrique, un autobus, un cycliste, quelques animaux... Prenez le papier et un crayon et demandez à votre enfant de mettre une croix à chaque fois qu'il voit quelque chose correspondant à un dessin.

Sans les mains

Matériel: *billes, assiettes, pots*

Demandez aux enfants d'enlever leurs chaussettes et leurs chaussures et de s'asseoir sur une chaise basse ou un banc. Posez devant chaque enfant une assiette avec 5 ou 10 billes et un pot vide. Au signal de départ, les enfants doivent essayer de prendre les billes avec leurs pieds et de les faire tomber dans le pot.
Celui qui a rempli son pot en premier a gagné.

Tir à la corde

Matériel: *grosse corde*

Le tir à la corde est un jeu très amusant pour les enfants, surtout sur la plage. Pour leur faciliter la tâche, faites quelques nœuds dans la corde. Creusez un petit trou dans le sable pour marquer le terrain et séparez les enfants en deux groupes. Au signal de départ, les enfants commencent à tirer. Le jeu se termine quand un enfant met les deux pieds dans le trou.

105

Jeu du 'judas'

Matériel: *vieux cahiers, feuille de papier*

Découpez dans de vieux cahiers plusieurs objets familiers ou des animaux. Faites ensuite un petit trou dans une feuille de papier: c'est le 'judas' pour regarder. Laissez votre enfant regarder les images pendant que vous parlez des objets ou des animaux. Choisissez ensuite une image, sans que votre enfant ne la voie, et cachez-la avec le papier où vous avez découpé le petit trou. Le but est que votre enfant devine quel objet ou animal est visible par le judas.

Tente d'Indiens

Matériel: *grand parasol de jardin, pinces à linge, bouts de tissu*

C'est facile de construire une tente d'Indiens avec peu de matériel. Plantez un grand parasol dans la pelouse et ouvrez-le à moitié. Donnez à votre enfant des couvertures et des pinces à linge pour achever le dessous de la tente.
Pour la panoplie d'Indiens assortie: voir n° 297

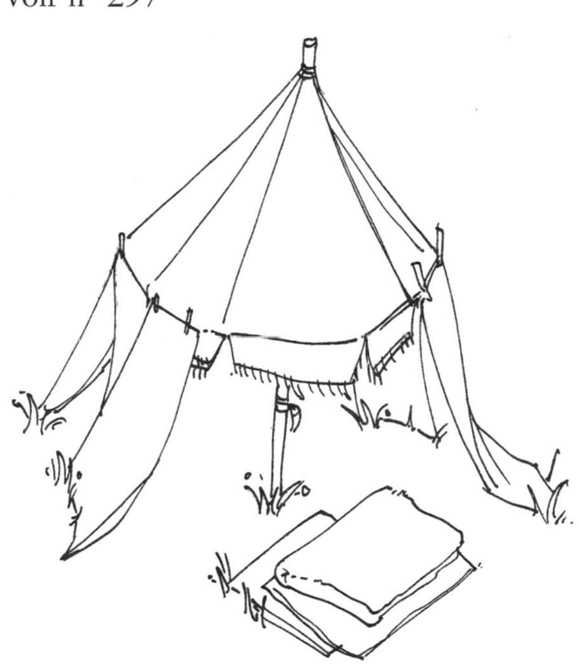

107 Le serpent qui tourne

Matériel: *papier de couleur, pâte à modeler, aiguille à tricoter*

Les petits enfants sont fascinés par les objets qui bougent. En hiver, quand le chauffage est mis, fabriquez un serpent qui tourne constamment. Pour cela, découpez un serpent en spirale dans un cercle en papier et faites un petit trou dans la tête. À l'aide de pâte à modeler, fixez une aiguille à tricoter verticalement au-dessus d'une source de chaleur (pas une cheminée) et appuyez la tête du serpent sur la pointe de l'aiguille. Avec la chaleur, le serpent commencera à tourner... sans s'arrêter.

Débarrasser la table

108

Matériel: *table dressée, dé*

Certains enfants aiment aider aux corvées ménagères, d'autres pas. Mais vous pouvez transformer ces corvées en jeux où toute la famille peut participer. Après le repas, quand tout le monde est encore à table, prenez des dés.
Tout le monde a le droit de jeter une fois les dés. Le nombre de points détermine le nombre de corvées que chacun devra faire dans la cuisine.

Cristaux de glace

109

Matériel: *papier, ciseaux*

Pliez un carré de papier en deux et encore en deux.
Découpez des triangles de toutes les tailles et rouvrez le papier.
Selon la forme de base du papier et le nombre de pliages, les enfants peuvent créer différentes sortes d'étoiles. Vous devrez les aider au début, mais ils pourront rapidement jouer seuls et confectionner de magnifiques cristaux de glace.

Goûter

Matériel: *aliments avec différents goûts*

Le but de ce jeu est d'apprendre à votre enfant à reconnaître différents goûts. Mettez sur la table des petites quantités d'aliments comme du sucre, du sel, du café, de la moutarde, des chips, du miel... Qu'est-ce qui est bon ou mauvais? Est-ce que c'est doux ou amer? Sucré ou salé? Laissez d'abord votre enfant goûter avec les yeux ouverts, puis avec un bandeau. Reconnaît-il les choses qu'il a goûtées?

Le voleur de ballons

Matériel: *chaise, ballon (gonflable)*

Les enfants s'asseyent en rond. Au milieu du cercle, placez une chaise, et un ballon sous la chaise. Un des enfants a les yeux bandés et va s'asseoir sur la chaise. C'est le gardien du ballon.
A votre signal, un autre enfant doit essayer de voler le ballon. Si le gardien le remarque, il crie 'Stop'. Le voleur doit alors retourner à sa place et vous en désignez un autre. Dès qu'un enfant réussit à

prendre le ballon et revenir à sa place sans que le gardien le remarque, les enfants crient 'Youpie! Nous avons le ballon!' Désignez alors un nouveau gardien.

Bateaux à œufs

Matériel: *œufs durs, mayonnaise, cure-dents, papier de couleur, adhésif*

Ecalez les œufs et coupez-les en deux dans le sens de la longueur. Enlevez le jaune et laissez votre enfant l'écraser et le mélanger avec un peu de mayonnaise. Remettez ensuite les moitiés de l'œuf ensemble. Découpez dans du papier de couleur des triangles pour les voiles, collez-les sur les mâts que vous piquez dans les bateaux. Même un enfant qui n'aime pas les œufs ne pourra résister à de si beaux bateaux!

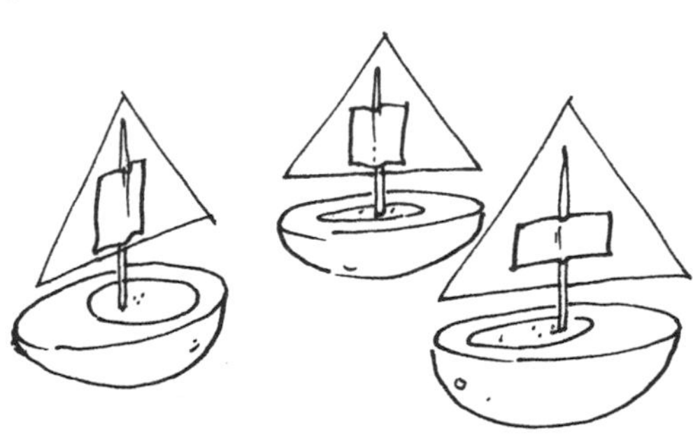

Badges-coccinelles

Matériel: *carton, demi-coquille de noix, peinture rouge et noire, épingle de sûreté, colle, adhésif*

Les enfants peuvent fabriquer leurs propres badges. Pour cela, prenez une demi-coquille de noix. Laissez votre enfant la peindre lui-même (en rouge avec des points noirs). Découpez un rond légèrement plus grand que la coquille. Collez la coccinelle dessus et fixez le tout avec de l'adhésif et une épingle de sûreté.

Ballons qui volent

Matériel: *ballons, gros feutres*

Laissez votre enfant gonfler quelques ballons (ou gonflez-les vous-même) et faites un nœud dedans. Dessinez dessus toutes sortes de personnages: insectes, visages... Défaites le nœud et lâchez les ballons. Lequel volera le plus haut?

Jeux de construction

Matériel: *boîtes de tailles et de formes différentes, adhésif, papier de couleur, peinture*

Votre enfant peut utiliser tout le matériel énuméré ci-dessus pour créer son propre monde: une ville pleine de maisons et d'immeubles, un train, un bateau, une maison de poupées, un robot... Aidez votre enfant s'il le demande, mais laissez-le suivre sa propre imagination. Et soyez tranquille: pour un enfant, il n'y a pas besoin de portes ni de fenêtres dans une maison. S'il vous affirme que cette simple boîte blanche sans aucun découpage ou collage est une maison de 5 étages, il faut le croire!

Puzzle de jeux de cartes

Matériel: *deux jeux de cartes identiques*

Étalez un jeu de cartes complet sur la table. L'autre jeu constitue le talon, face contre la table. Votre enfant doit prendre une carte du talon et chercher entre les cartes étalées sur la table celle qui correspond. Les deux cartes peuvent ensuite être retirées du jeu.
Pour les enfants plus grands, utilisez un chronomètre ou un sablier (voir n° 262) comme stimulant pour rester concentrés.

Trier les chaussettes

Matériel: *chaussettes*

Quand vous avez lavé une série de chaussettes, vous passez toujours du temps à les trier.
Mais c'est une corvée que les enfants peuvent faire. Prévoyez assez d'espace sur la table pour qu'ils puissent mettre les chaussettes les unes à côté des autres et former des paires. Si vous leur apprenez également à les plier, c'est une corvée que vous pouvez de temps en temps leur confier.

Glissade sur l'eau

Matériel: *grand sac en plastique*

Il fait tellement chaud que votre enfant étouffe? Proposez-lui une glissade sur l'eau.
Étendez sur l'herbe un grand sac en plastique et maintenez les coins avec des seaux remplis d'eau. Mettez le tuyau d'arrosage près du sac et laissez votre enfant tout nu glisser sur l'eau. S'il ne veut plus s'arrêter, changez d'endroit, sans quoi le gazon sera 'noyé'.

Jeu des panneaux de circulation

Matériel: *panneaux de circulation 'faits maison', sac ou boîte*

Si vous êtes souvent sur la route avec vos enfants, préparez un jeu de circulation pour la voiture. Découpez des ronds dans du carton épais. Dessinez un panneau de circulation par rond, et cachez-les dans un sac ou dans une boîte que vous laissez dans la voiture.
Le jeu est très simple. Chaque enfant prend sans regarder trois ronds dans le sac. Demandez-leur de bien regarder les panneaux le long de la route.
Le premier qui a aperçu ses trois panneaux a gagné.

Fils indiens

Matériel: *bâton fourchu, scie, corde, feuilles, fleurs, plumes*

Cherchez une branche fourchue, faites à la scie plusieurs petites entailles à l'extérieur de la fourche et enroulez-y une corde (voir dessin). C'est le métier à tisser des Indiens.

Installez-le dans le jardin car, pour tisser, vous n'avez pas besoin de laine ou de tissu, mais de tout ce qu'on peut trouver dans la nature: des branches, des herbes, des feuilles, des fleurs avec une tige, des plumes...

Maracas

Matériel: *bouteilles en plastique, boutons, haricots...*

A l'origine, les maracas, instruments de percussion antillais, sont des sphères creuses remplies de graines et plantées sur un bâton. Les enfants peuvent fabriquer leurs propres maracas en remplissant une bouteille en plastique de petits cailloux, de boutons, de haricots ou d'autres objets qui font du bruit si on les remue.

122

Balle au bond

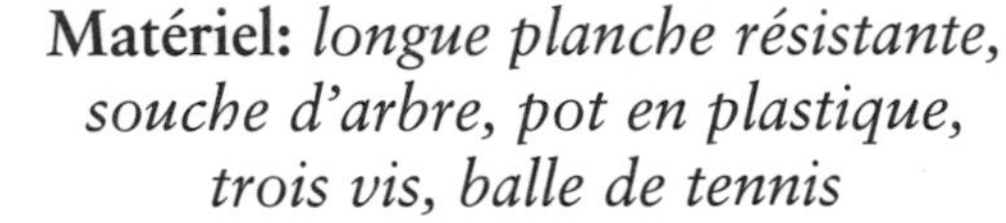

Matériel: *longue planche résistante, souche d'arbre, pot en plastique, trois vis, balle de tennis*

Les enfants peuvent s'exercer à rattraper une balle. Le tremplin est très simple à construire. Attachez à un bout de la planche un pot en plastique que vous fixez avec trois vis. Mettez dans le sable ou dans l'herbe une souche d'arbre et posez la planche dessus, à peu près au milieu. Mettez une balle de tennis dans le pot. Si votre enfant pose le pied sur la planche, la balle sera projetée vers le haut et il pourra essayer de l'attraper.

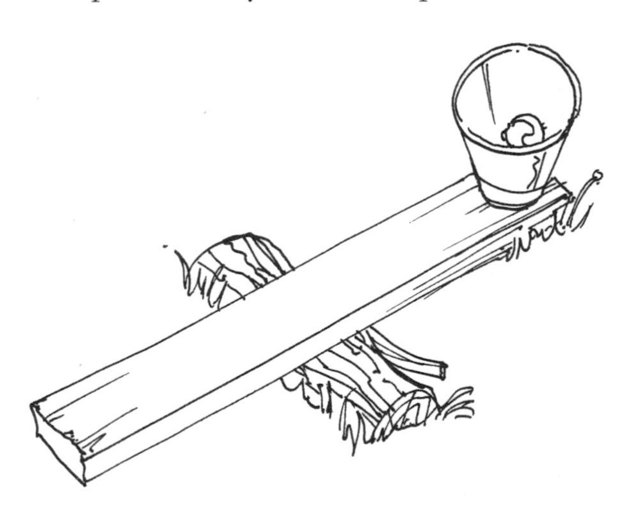

Porte-crayons

123

Matériel: *brique avec des trous, peinture, feutre*

Les crayons tombent souvent de la table, sauf s'ils sont dans un porte-crayons. Votre enfant peut d'abord décorer la brique. Dès que la peinture est sèche, collez sous la brique une plaque de feutre, pour éviter d'abîmer la table.

Faire les courses

124

Matériel: *cartes, revues*

Les enfants aiment en général accompagner leurs parents faire les courses, surtout au supermarché où il y a beaucoup de choses à voir. Impliquez encore davantage votre enfant en préparant des cartes pour chaque produit dont vous avez besoin. Sur chaque carte vous indiquez une description du produit. Faites d'abord ensemble le tour des placards de la cuisine pour décider de ce qu'il faut acheter. L'enfant prend avec lui les cartes mentionnant ces produits. Cherchez-les ensemble au magasin. Laissez votre enfant les mettre dans le chariot.

Chasse au trésor

Matériel: *petite surprise*

Asseyez-vous dos à dos avec votre enfant, les mains dans le dos. Vous avez caché une petite surprise dans vos mains. Votre enfant doit se mettre de l'autre côté de la pièce et essayer de venir vous subtiliser la surprise sans se faire remarquer. Si vous l'entendez, vous vous retournez. S'il bouge à ce moment-là, il doit recommencer. Si vous ne le voyez pas bouger, retournez-vous et laissez-le continuer.

126

Tambour

Matériel: *baril de lessive, peinture, corde, clochettes, adhésif, cuiller en bois*

C'est très simple de transformer un baril de lessive vide en tambour. Vous pouvez utiliser un morceau de caoutchouc (par exemple d'une chambre à air), mais ce n'est pas nécessaire. L'enfant peut tout aussi bien taper sur le couvercle en plastique du baril. Ajoutez des clochettes qui feront un joli tintement: il suffit de les accrocher à une corde tout autour du tambour.

Danse des ballons

Matériel: *ballons*

C'est une variante à la chaise musicale, jeu idéal pour une petite fête. Prévoyez autant de ballons gonflables qu'il y a d'enfants, moins un, et vous les mettez au centre de la pièce. Pendant que la musique joue, les enfants dansent autour des ballons. Quand elle s'arrête, chacun essaie de se saisir d'un ballon. Celui qui n'a pas réussi est éliminé. On enlève alors un ballon et la musique recommence.
Le gagnant est celui qui prend le dernier ballon.

Chaise sur les chaussures

Matériel: *deux bandeaux, deux chaises, huit chaussures*

Placez une chaise de chaque côté de la chambre. Mettez huit chaussures entre les deux chaises. Enfilez un bandeau aux deux enfants et faites-les s'asseoir sur les chaises. Ils doivent maintenant 'chausser' les quatre pieds de leur chaise, en ne prenant qu'une chaussure à la fois. Quelle chaise sera terminée la première?

129

Peindre des pierres

Matériel: *gros cailloux, peinture, pinceau, feutres, vernis*

Les grands comme les petits peuvent laisser libre cours à leur imagination sur les pierres. Posez sur la table un grand papier journal et utilisez de la peinture assez épaisse. Laissez d'abord sécher chaque forme peinte avant de mettre une couche d'une autre couleur. Si votre enfant est impatient, il est préférable de travailler avec des feutres. Vernissez ensuite.

Œuf-surprise

Matériel: *coquille d'œuf, confettis, feutres de couleurs, adhésif*

Votre enfant peut d'abord décorer la coquille d'œuf avec les feutres. Agrandissez un des trous que vous avez faits pour vider l'œuf: votre enfant passera par là pour remplir l'œuf de confettis (pour faire des confettis, voir n° 165). Refermez ensuite le trou. Qu'est-ce que votre enfant peut faire avec cet œuf-surprise? Le casser sur la tête de quelqu'un et rire de sa réaction!

131

Collier de cacahuètes

Matériel: *cacahuètes, fil de nylon, aiguille*

Les enfants adorent faire des colliers et ils aiment les animaux. Pourquoi ne pas faire un collier de cacahuètes pour les mésanges? Donnez-lui une aiguille (une aiguille émoussée avec un grand chas est idéale), un fil de nylon et une poignée de cacahuètes dans leur coquille. Montrez-lui comment enfiler les cacahuètes sur le fil. Allez ensuite ensemble accrocher le collier sur une branche d'arbre, à un endroit de préférence visible depuis la maison.

Chaud et froid

132

1+

Matériel: *objet (ou surprise)*

Ce jeu de recherche classique peut se jouer avec les petits. Cachez un objet, par exemple un jouet ou une surprise, et laissez-les chercher.
Les seules indications que vous leur donnez sont 'chaud', 'encore plus chaud', 'très chaud' s'il est tout près, ou 'froid', 'encore plus froid' ou 'très froid' s'il s'en éloigne.

Parcours d'obstacles

133

Matériel: *boîtes, chaises, bancs, pneus...*

Préparez dans le jardin un parcours adapté à l'âge de votre enfant.
Pour les petits par exemple, une série de boîtes sans fond ni couvercle feront de parfaits tunnels, amusants et inoffensifs.
Pour les enfants plus âgés, vous pouvez prévoir une planche d'équilibre (une échelle ou une branche d'arbre).
Chronométrez-les: ça entretient le suspense et ça les encourage à améliorer leurs performances.

Peinture grattée

Matériel: *papier résistant ou carton, peinture, feutre noir, aiguille à tricoter*

Une peinture grattée se fait en trois phases. Votre enfant peint d'abord de grandes formes de couleur à la gouache ou à l'acrylique. Toute la feuille doit être couverte de peinture. Quand celle-ci est sèche, il peut repasser sur les couleurs au feutre noir. Il ne doit plus y avoir une seule couleur visible. Ensuite il gratte avec une aiguille à tricoter ou un autre objet pointu, et il crée un dessin dans le feutre. Aux endroits grattés, la couleur réapparaît.

Poupées de doigts

1+

Matériel: *plâtre, peinture ou feutres*

Il y a plusieurs manières de faire des poupées sur les doigts, mais le problème est souvent qu'elles sont difficiles à faire sur ceux des petits enfants. Avec le plâtre, vous pouvez fabriquer des poupées sur mesure. Humidifiez un peu de plâtre, roulez-le sur un doigt pour en faire un modèle. Dès que le plâtre a durci, vous pouvez le décorer. Montrez à votre enfant comment faire 'parler' et 'jouer' les poupées de doigts, puis laissez-le inventer ses propres histoires, que vous viendrez naturellement écouter et applaudir.

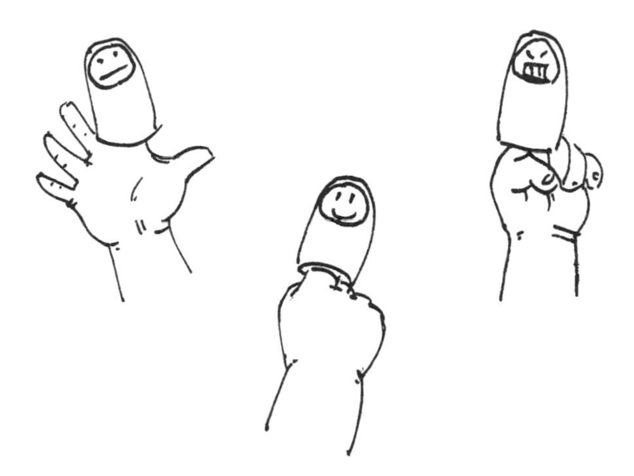

Course à l'envers

Vous trouverez peut-être étrange que l'on vous conseille une course pour l'intérieur, mais ceci est une course 'à l'envers'! Le but est en effet que les enfants aillent le plus lentement possible! Le gagnant est celui qui franchit la ligne d'arrivée en dernier. Les enfants ne peuvent cependant pas rester complètement immobiles: ce serait trop facile!

La chenille

Matériel: *boîte de douze œufs, cure-pipe, corde*

On peut faire beaucoup de bricolages avec des boîtes d'œufs, par exemple les chenilles. Coupez le bas de la boîte en deux dans le sens de la longueur. Laissez votre enfant la décorer. Faites deux petits trous dans la première 'poche à œuf' pour le cure-pipe dont vous pliez les bouts ouatés, et votre chenille est prête. Accrochez-y une corde pour que votre enfant puisse la suivre.

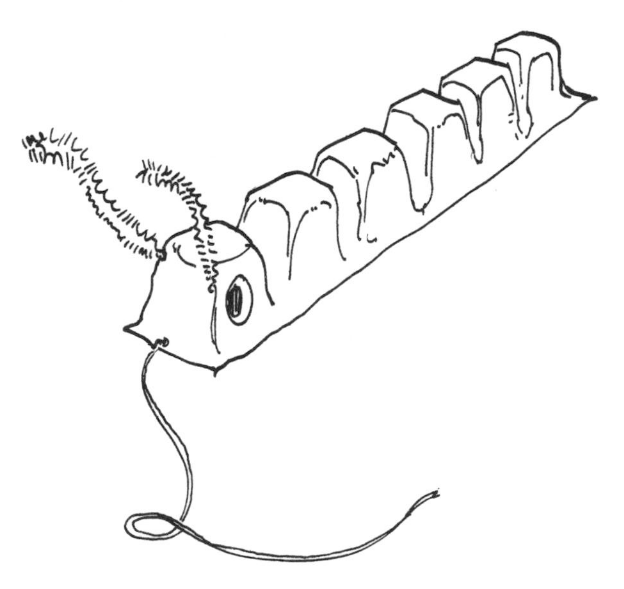

Pain perdu

138

Matériel: *4 tranches de pain, 4 œufs, beurre, sucre ou confiture*

Presque tous les enfants raffolent du pain perdu, surtout s'ils peuvent aider à le préparer. Ils peuvent couper les croûtes du pain et battre les œufs. Passez ensuite les tranches dans l'œuf puis cuisez-les dans la poêle des deux côtés jusqu'à ce qu'elles soient croustillantes et dorées. L'enfant peut alors les servir, avec du sucre ou de la confiture.

La balle de la reine

139

Matériel: *balle*

C'est un jeu très ancien. Un des joueurs est la reine. Elle a le dos appuyé contre les autres enfants et lance la balle par-dessus son épaule.
Les autres joueurs l'attrapent et vont se mettre sur une ligne, les mains dans le dos. L'un d'eux tient la balle derrière son dos. La reine se retourne et doit deviner qui est ce 'traître'. Si elle réussit, elle peut recommencer, sinon le 'traître' devient la reine.

La clinique des poupées

Matériel: *vieux drap, plusieurs bouts de sparadrap, ciseaux*

Les enfants aiment jouer au docteur. Ils s'exercent sur leurs poupées, leurs nounours et leurs autres jouets. Ils peuvent fabriquer beaucoup de bandes et de pansements à partir d'un vieux drap, mais donnez-leur également quelques bouts de sparadrap pour faire encore plus vrai!

Danse des paquets

Matériel: *cadeaux emballés*

Emballez autant de cadeaux qu'il y a d'enfants. Pour que le déballage dure plus longtemps (les enfants adorent déballer), empaquetez chaque cadeau dans cinq couches de papier. Faites-les danser en rond avec leur paquet dans les mains pendant que la musique joue. Quand elle s'arrête, ils peuvent déballer leur cadeau. Quand la musique recommence, ils doivent donner leur cadeau au voisin et recommencer à danser. Celui qui enlève la dernière couche de papier peut garder son cadeau et quitter le cercle.

Course de ballons

Matériel: *ballons*

Déterminez la distance, par exemple 10 m. Donnez à chaque enfant un ballon gonflable qu'il doit tenir entre ses jambes, les bras croisés sur la poitrine. Quand vous criez 'Partez', les enfants doivent sautiller vers la ligne d'arrivée.
Dans la pelouse ou sur le sable, les enfants peuvent courir pieds nus avec un ballon accroché à leurs orteils. Celui qui perd son ballon doit revenir au point de départ.

Harpe à élastiques

Matériel: *élastiques de différentes grandeurs et épaisseurs, boîte (à chaussures)*

Tendez les élastiques sur une boîte résistante sans couvercle. En pinçant les élastiques avec les doigts, on peut entendre des 'notes' et jouer de la musique.

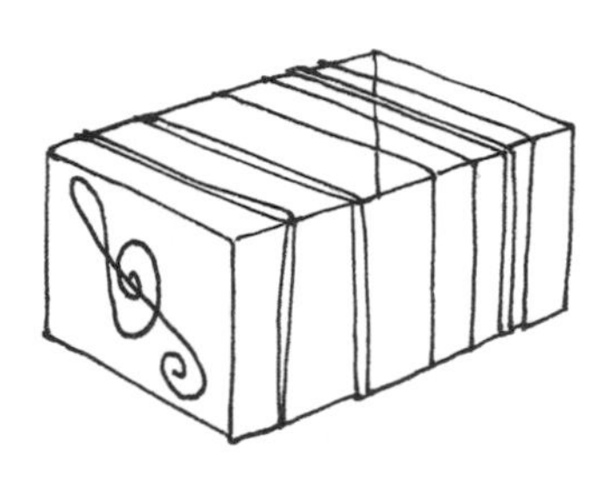

Formes frottées

Matériel: *toutes sortes d'objets, papier fin, pastels*

Mettez un papier fin sur un objet assez plat, comme une clé, une feuille d'arbre, une écorce, un carreau avec un motif en relief. Votre enfant peut alors frotter le papier avec un crayon gras pour 'imprimer' le motif sur le papier.

J'habite ici

145

Matériel: *longue corde résistante*

Formez un cercle de corde sur la pelouse et faites s'asseoir les enfants au centre. Dites-leur que vous vous trouvez dans une maison spéciale: une maison en plein air avec des murs ronds et invisibles. Mais elle est trop petite pour autant d'enfants, il n'y a plus de place pour les meubles. En fait, seul un enfant peut y habiter. Lequel? Le dernier qui restera à l'intérieur de la corde après un jeu de poussée. Les enfants doivent en effet se pousser de l'autre côté de la corde.

Un coffre à trésors en argent

146

Matériel: *boîte, papier aluminium, carton ondulé, colle*

Votre enfant doit conserver tous ses trésors dans un vrai coffre. Il peut le fabriquer en collant plusieurs formes en carton sur une boîte et en la recouvrant de papier aluminium. En tendant bien l'aluminium, les formes ressortiront.

Balle à colorier

Matériel: *pastels cassés, sac en plastique*

Enlevez le papier autour de vieux pastels et cassez-les en petits morceaux que vous mettez dans un sac en plastique. Mettez-le au soleil ou dans un four à température réduite jusqu'à ce que les morceaux de pastel aient ramolli. Formez une balle avec le sac et placez-la dans un congélateur pour qu'elle durcisse. Les enfants peuvent maintenant l'utiliser pour colorier.

Peintures sur rouleaux

Matériel: *peinture à l'eau, papier à dessin, petites cuillers, rouleau à pâtisserie*

Posez une grande plaque en plastique sur la table et laissez votre enfant verser un peu de peinture sur une feuille de papier à dessin, une petite cuiller de chaque couleur. Appliquez ensuite une deuxième feuille à dessin sur la première et passez dessus avec un rouleau à pâtisserie ou une bouteille. Enlevez prudemment le papier du dessus et... vous obtenez deux fois le même dessin: un pour papa et un pour maman.

Tablier

Matériel: *grand sac-poubelle, ceinture ou ruban, autocollants*

Les enfants barbouillent volontiers avec de la peinture, mais ils ne font pas attention à leurs vêtements. C'est pourquoi un tablier est très pratique. De plus, c'est facile à préparer: découpez dans un sac-poubelle une ouverture pour la tête, deux trous pour les bras, une ceinture ou un ruban pour la taille. Pour le décorer, votre enfant n'a plus qu'à ajouter quelques autocollants.

Petite boîte

Matériel: *lampe de bureau, boîte à chaussures, ciseaux, colle, adhésif, pâte à modeler, plumes, coquillages, petits jouets...*

Découpez deux fenêtres dans la boîte à chaussures: une sur le côté et une sur le couvercle. Fabriquez ensemble avec votre enfant une belle 'scène' avec différents matériaux. Collez des objets ou des images sur le fond et les parois. Employez de la pâte à modeler pour faire tenir les plumes ou les coquillages à la verticale. Passez une lampe par la fenêtre de la boîte. Votre enfant peut alors, par l'autre fenêtre, observer le joli décor.

Jeu de l'oie

Matériel: *jeu de cartes, 1 pion par joueur, dé, bonbons*

Ce jeu ressemble au jeu de l'oie classique. Dégagez une partie du sol et faites une longue guirlande de cartes (retournées vers vous). C'est le jeu de l'oie. Placez quelques bonbons sur les rois, les dames et les valets. Les enfants lancent le dé à

tour de rôle. Le nombre de points indique de combien de cartes ils peuvent avancer. Celui qui tombe sur une dame, un roi ou un valet peut manger un bonbon.
Qui atteindra en premier la fin de la guirlande?

152

Attrape-balle

1+

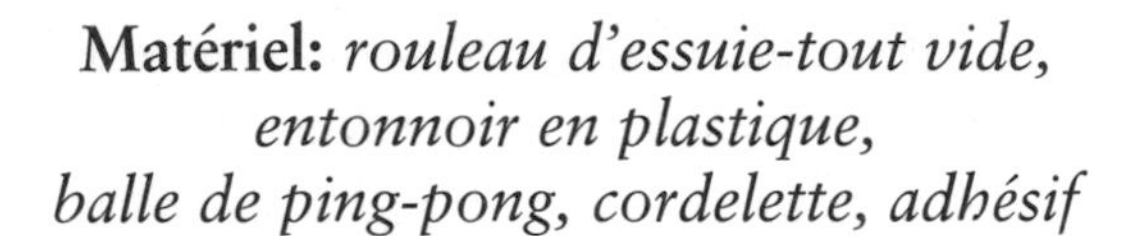

Matériel: *rouleau d'essuie-tout vide, entonnoir en plastique, balle de ping-pong, cordelette, adhésif*

Avec de l'adhésif, attachez l'entonnoir sur le rouleau, et la cordelette sur la balle de ping-pong. Collez également l'autre bout de la corde à l'intérieur du rouleau. Votre enfant doit essayer d'attraper la balle de ping-pong avec l'entonnoir.

Bouteille de fleurs

Matériel: *bouteille, vieux journaux, ciseaux, colle, vernis*

Laissez votre enfant découper dans de vieux cahiers des taches de couleurs ou des motifs. Ceux-ci ne doivent pas être trop grands: plus ils sont petits, plus le résultat sera beau. Collez ensuite tous les motifs sur la bouteille, et ajoutez une couche de vernis. Vous obtiendrez un magnifique vase où votre enfant pourra mettre ses fleurs après chaque promenade.

Étoiles de Noël

Matériel: *pâte à modeler, pailles de couleur, fil de fer fin*

Les enfants aiment décorer le sapin de Noël, surtout s'ils peuvent fabriquer leurs propres décorations, avec votre aide. Découpez les pailles en morceaux de 3 à 5 cm et le fil de fer en morceaux de 10 cm. Faites des boulettes de pâte à modeler. Enfoncez-y un fil de fer plié en deux dont vous avez courbé les extrémités. Piquez enfin les pailles dans les boulettes.

Arc-en-ciel géant

Matériel:
grande feuille de papier,
feutres ou crayons de couleurs,
vieux journaux, ciseaux, colle

Dessinez un énorme arc-en-ciel sur une grande feuille de papier, et marquez sur le côté les différentes couleurs à utiliser. Votre enfant doit chercher les couleurs dans de vieux magazines, les découper et les placer au bon endroit sur l'arc-en-ciel.

Tour de boîtes

Matériel: *dix boîtes de conserve de même format, adhésif, bouts de tissu, riz ou autre graine*

Ce jeu, qui consiste à renverser des boîtes de conserve avec des balles, est également fort apprécié par les adultes. Pour les petits, émoussez le côté tranchant des boîtes de conserve et recouvrez-les d'adhésif, pour qu'ils ne puissent pas se blesser les doigts. À la place des balles, vous pouvez faire des sacs de grains. Fabriquez-les à partir de bouts de tissu et remplissez-les de grains de riz ou d'autres graines.

L'ours volant

157

Matériel: *ours en peluche, corde, clochette*

Tendez dans la pièce une corde de haut en bas, que vous avez au préalable accrochée à une clochette. Attachez à celle-ci un petit nounours ou un autre jouet. Montez la clochette jusqu'en haut de la corde et lâchez-la. L'ours volera dans la chambre.

Dessin magique

158

Matériel: *papier, bougie blanche, peinture*

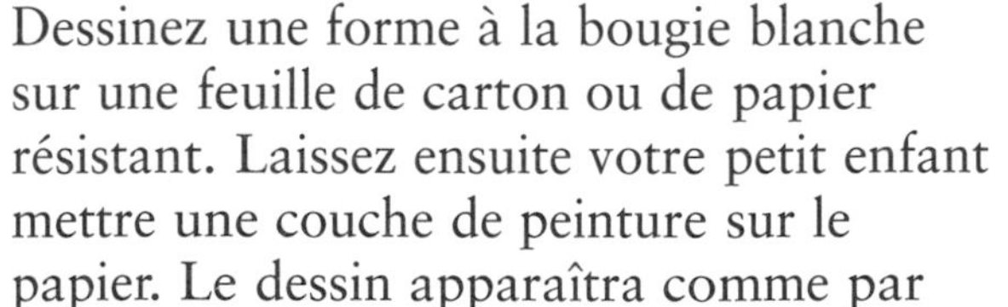

Dessinez une forme à la bougie blanche sur une feuille de carton ou de papier résistant. Laissez ensuite votre petit enfant mettre une couche de peinture sur le papier. Le dessin apparaîtra comme par magie.

Pique-nique à l'intérieur

Matériel: *tout ce dont vous avez besoin pour un vrai pique-nique*

Quand il pleut dehors, c'est amusant de pouvoir pique-niquer dans la maison. Préparez tout, étendez une couverture sur le sol et... bon appétit!
Pendant le repas, vous pouvez imaginer que vous êtes dans le bois. 'Tu entends les feuilles qui bruissent? Tu vois ce cerf qui saute d'arbre en arbre? Eh, chasse cette vilaine fourmi!'
Essayez que votre enfant profite pleinement de ce pique-nique improvisé.

Jeu des antennes

Matériel: *bandeau, deux cuillers en bois*

Les enfants sont assis en cercle et l'un d'eux a les yeux bandés. Il reçoit deux cuillers en bois. Ce sont ses antennes, avec lesquelles il doit tenter de reconnaître un enfant ou un objet.
Ne jouez pas avec les tout-petits et vérifiez que les enfants utilisent les cuillers avec des gestes doux: ce ne sont pas des baguettes de batterie!

Mini-fantôme

161

Matériel: *mouchoir blanc, grosse bille, deux petites billes, corde, bâton*

Ce mini-fantôme est très facile à faire. Prenez une grosse bille pour la tête et attachez-la au milieu d'un mouchoir blanc. Prenez deux petites billes pour les mains, que vous fixez à deux pointes du mouchoir. Attachez les trois cordes à un bâton et votre fantôme est prêt à effrayer toute la famille.

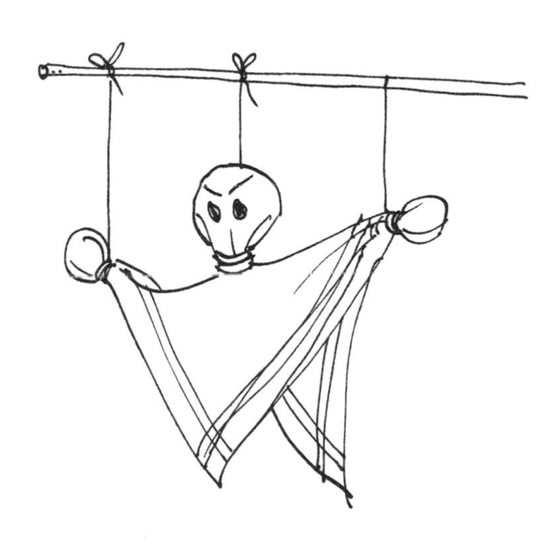

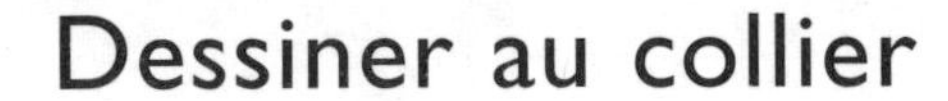

Dessiner au collier

Matériel: *morceau de carton, collier fin, adhésif*

Prenez un morceau de carton (entre une carte postale et une feuille A4) et faites deux trous dans le haut à environ 0,5 cm l'un de l'autre. Prenez un collier fin à peu près deux fois plus grand que le carton. Faites-le passer par les trous et attachez les extrémités avec de l'adhésif. Votre enfant peut donc créer toutes sortes de formes en pliant le collier et les 'effacer' directement.

Pot de neige

Matériel: *pot de confiture, sac en plastique blanc, ciseaux, eau*

Faire tomber des flocons de neige au milieu de l'été? Si, c'est possible. La neige consiste en de minuscules morceaux de plastique blanc découpés dans un sac. Mettez-les ensuite dans le pot de confiture rempli d'eau. Revissez le couvercle sur le pot, pour qu'aucune goutte de pluie ne tombe, et la neige tombera... dans le pot de neige.

Cache-cache musical

Matériel: *boîte à musique (ou petit transistor)*

Les enfants aiment bien jouer à cache-cache. Mais celui qui se cache ne doit pas obligatoirement être une personne. Vous pouvez aussi cacher une boîte à musique. Votre enfant doit alors se fier à son oreille pour trouver d'où vient la musique.
S'il ne réussit pas à retrouver la boîte avant que la musique s'arrête, prenez plutôt un petit transistor... qui ne s'arrêtera pas de jouer!

Confettis

Matériel: *vieux magazines, perforatrice, sac en plastique*

C'est bientôt le Carnaval? Votre enfant peut faire des confettis. Donnez-lui une pile de vieux magazines et une perforatrice et laissez-le faire des trous, vous rassemblez les bouts de papier dans un sac, jusqu'à ce qu'il soit rempli. Ensuite, il ne reste plus qu'à attendre le Carnaval.

166 Agent de la circulation

Matériel: *trois petits drapeaux (rouge, orange et vert)*

Un des enfants est agent de la circulation. Il a trois drapeaux: un rouge, un orange et un vert. Les autres représentent les voitures, les vélos, les bus.
Si l'agent montre le drapeau vert, tout le monde peut rouler. Si l'agent montre le drapeau orange, tout le monde doit ralentir. Et s'arrêter quand il montre le drapeau rouge. Celui qui ne fait pas attention à l'agent est éliminé.
Essayez de faire jouer le rôle de l'agent à chaque enfant.

Restaurant pour oiseaux

Matériel: *boîte de lait vide, peinture, ciseaux, corde, nourriture pour oiseaux*

En hiver, vous pouvez fabriquer un restaurant pour les oiseaux.
Découpez une petite fenêtre à 5 cm du fond de la boîte de lait. Laissez votre enfant décorer la boîte, puis mettez-y de la nourriture pour oiseaux (graines, fruits secs, morceaux de fromage...). Faites deux trous dans le haut de la boîte et accrochez-la avec une corde à une branche. N'oubliez pas de remettre de temps en temps de la nourriture fraîche.

Fleurs de glace

Matériel: *fleurs comestibles, eau, bac à glaçons*

Cueillez avec votre enfant quelques violettes ou des pâquerettes sur un terrain où on n'utilise pas de pesticides chimiques. Mettez une fleur dans chaque poche du bac à glaçons. Versez de l'eau et mettez le bac quelques heures dans le congélateur. La prochaine fois que votre enfant demandera des glaçons, il aura une fleur de glace.

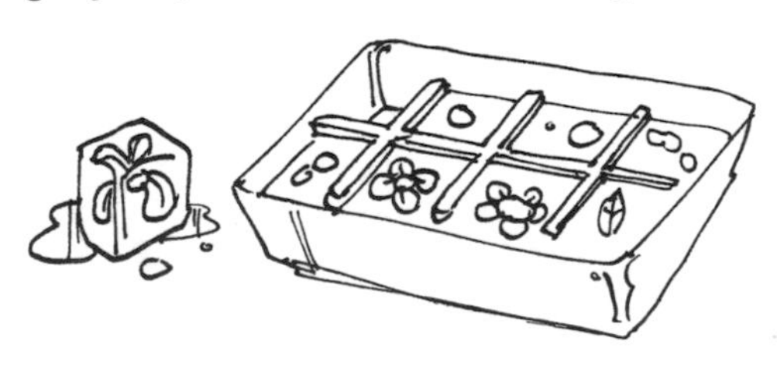

Magasin

Matériel: *sacs, boîtes, toutes sortes de petites 'marchandises', pièces de monnaie, balance*

Les enfants adorent jouer au 'magasin'. Ils adorent remplir et peser des sacs. Donnez-leur l'occasion de rassembler toutes sortes de boîtes et de sacs. Et donnez-leur des 'marchandises': pâtes, haricots, petits pois, raisins secs... La monnaie (vraie ou fabriquée, voir n° 84) ne doit pas manquer, ainsi que la balance, même si votre enfant ne sait pas encore lire les chiffres... C'est tellement plus 'vrai'. Naturellement, vous devez de temps en temps venir acheter quelque chose.

Empreintes de doigts

Matériel: *tampon, papier, loupe*

Laissez votre enfant réaliser sa propre empreinte de doigt et l'examiner à la loupe. Expliquez-lui que toutes les empreintes sont différentes. Demandez également aux autres membres de la famille de laisser leurs empreintes. Sontelles réellement différentes?

Souffler les couleurs

Matériel: *papier, peinture, paille*

Laissez tomber quelques gouttes de peinture fine sur du papier. Donnez une paille à votre enfant pour qu'il souffle sur les gouttes. Il pourra ainsi créer différentes formes.

Panier d'odeurs

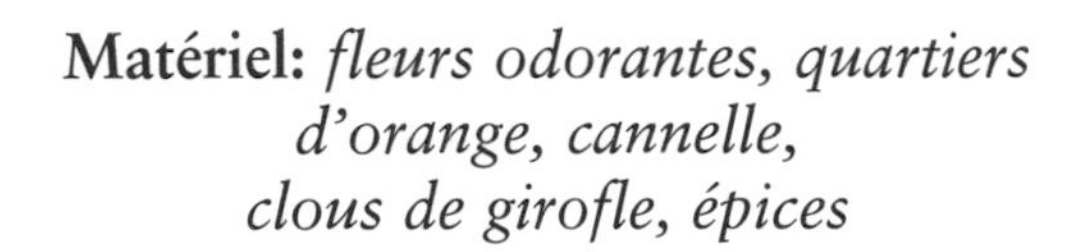

Matériel: *fleurs odorantes, quartiers d'orange, cannelle, clous de girofle, épices*

Partez avec votre enfant dans le jardin (ou dans la nature) collectionner les fleurs et les épices qui sentent bon: roses, lavande, thym, paille... Laissez votre enfant les ramasser dans un panier. Ajoutez encore quelques bâtons de cannelle, des clous de girofle et des quartiers d'orange... Hmmm, délicieux!

Recherche de sons

Matériel: *objets divers qui produisent des sons*

Choisissez plusieurs objets qui produisent des sons, comme une cloche, un trousseau de clés, un petit pot avec des billes. Déposez-les sur la table. Votre enfant doit en prendre un et 'l'écouter'. Si ce son lui est familier, demandez-lui de fermer les yeux.

Prenez alors un objet et faites-lui entendre. Pourra-t-il reconnaître l'objet que vous avez choisi?

Figurines de pain

174

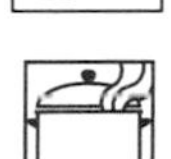

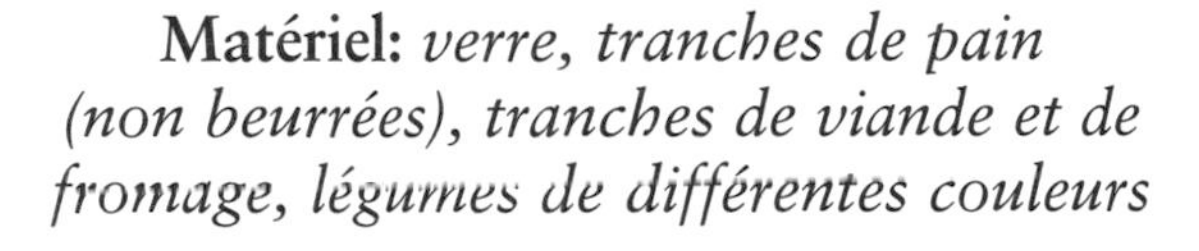

Matériel: *verre, tranches de pain (non beurrées), tranches de viande et de fromage, légumes de différentes couleurs*

Votre enfant se sert d'un verre pour découper des rondelles de pain et les décorer. À la base, il met une tranche de fromage ou de viande (salami, jambon), puis un légume pour dessiner un visage. Pour les petits enfants, il est préférable de couper les légumes à l'avance, mais les grands peuvent s'en occuper eux-mêmes. C'est une bonne occasion pour eux d'apprendre à se servir d'un couteau.

175

Chemins de fourmis

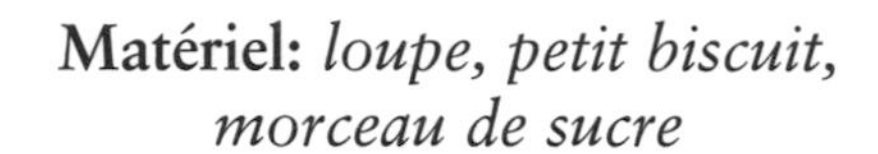

Matériel: *loupe, petit biscuit, morceau de sucre*

Les fourmis sont des êtres fantastiques. Apprenez à votre enfant à les observer. Approchez-vous d'un nid de fourmi et laissez-le regarder avec une loupe. Déposez un biscuit sur le chemin. Que font les fourmis? Et que se passe-t-il si vous mettez un morceau de sucre? Parfois, les fourmis traînent une chenille, qu'elles ramènent dans leur nid. Retrouvez le nid en suivant les fourmis.

176

Ma maison

Matériel: *carton, papier résistant, couleurs, cutter, colle photos des membres de la famille*

Dessinez sur du papier résistant la maison où vous habitez. Il faut qu'il y ait au moins autant de fenêtres que d'habitants. Si la vôtre ne convient pas, dessinez une maison classique, que votre enfant peut colorier. Avec le cutter, incisez le papier pour que les fenêtres puissent s'ouvrir. Fixez-le sur du carton et collez derrière chaque fenêtre une photo d'un membre de la famille. N'oubliez pas le chat et le chien! Affichez la photo au mur et laissez votre enfant ouvrir ou fermer les fenêtres pour montrer qui est (ou n'cst pas) à la maison.

Tir à l'eau

Matériel: *bouteilles, balles de ping-pong, pistolets à eau*

Déposez dehors sur la table une bouteille sur laquelle se trouve une balle de ping-pong. Donnez à chaque enfant un pistolet à eau. Qui sera le plus rapide pour faire tomber la balle de ping-pong de la bouteille?

178

Sac à dessin

Matériel: *sac en plastique avec fermeture à pression, ketchup*

Mettez quelques cuillerées de ketchup dans un sac avec fermeture à pression. La quantité de ketchup dépend de la grosseur du sac. Fermez-le, en enlevant le maximum d'air, puis posez-le à plat sur la table en veillant à ce que le ketchup soit bien étendu à l'intérieur du sac. Votre enfant peut alors dessiner des 'formes au ketchup'. Pour effacer, il suffit de passer la main à plat sur le sac.

179

Peintures de feuilles

Matériel: *feuilles d'automne, vieil annuaire, papier, colle*

Laissez d'abord sécher pendant une semaine les feuilles d'automne que vous avez ramassées avec votre enfant. Vous pouvez les utiliser pour dessiner toutes sortes de formes.
Si votre enfant est trop petit pour dessiner des formes compliquées, demandez-lui de faire un arbre sur une grande feuille de papier. Il pourra y ajouter les feuilles.

Poupée-balle de tennis

Matériel: *vieille balle de tennis, cutter, feutres de couleurs, restes de laine, colle, mouchoir*

Faites un trou dans la balle, assez grand pour passer l'index de votre enfant. Il peut ensuite dessiner une tête sur la balle avec des yeux, un nez et des cheveux en laine. Enroulez un mouchoir autour de son doigt et enfoncez la balle de tennis dessus. Pour ajouter des bras à la poupée, attachez le mouchoir au pouce et au majeur de l'enfant avec deux élastiques pas trop serrés.

Bateaux dans la baignoire

Matériel: *bouchons, bâtonnets, plastique résistant*

C'est encore plus amusant de prendre son bain avec des bateaux. Découpez des voiles de différentes formes dans du plastique. Accrochez-les aux bâtonnets que vous piquez sur les bouchons.

Tirer la balle

Matériel: *balle*

Tous les enfants se mettent en cercle. Un joueur va au milieu. Les autres font rapidement rouler la balle en essayant de toucher le joueur. Celui-ci peut sauter sur le côté ou en l'air pour éviter la balle. L'enfant qui réussit à le toucher prend sa place au centre du cercle.

Œufs de Pâques

Matériel: *œufs durs ou coquilles d'œufs, peinture, colle, matériel à mosaïque*

A l'occasion de Pâques, les petits aiment beaucoup décorer les œufs. Mettez-les dans des coquetiers ou prenez des coquilles d'œufs que vous fixez dans du polystyrène Ils peuvent être peints en n'importe quelle couleur, ou transformés en visages. Les œufs mosaïques sont également très amusants à faire. Enduisez les œufs de colle pour que votre enfant puisse les décorer avec des 'mosaïques': des morceaux de papier, des fleurs séchées, des feuilles, des graines, des perles...

Assiette de sable

Matériel: *vieille assiette, sable, petits objets*

Remplissez une assiette de sable humide. Votre enfant peut y enfoncer plusieurs petits objets: boutons, coquillages, plumes, feuilles, graines...
Si vous gardez le sable humide, l'assiette de sable restera belle et pourra servir de décoration de table.

185

Cartes cousues

Matériel: *cartes postales, fil et aiguille*

Conservez de vieilles cartes de Noël, d'anniversaire et de Nouvel An.
Faites des trous le long du contour des figurines. Laissez votre enfant passer un fil à travers les trous.
Si vous trouvez l'aiguille trop dangereuse, faites des trous un peu plus grands et recouvrez le bout de l'aiguille avec de l'adhésif.

186

Mini-zoo

Matériel: *boîtes à chaussures, peinture, adhésif, animaux jouets*

Si votre enfant possède toutes sortes d'animaux jouets (vous pouvez aussi lui en fabriquer avec de la pâte à modeler ou du papier résistant), ils doivent habiter dans un zoo. Prenez plusieurs cages, qui sont en fait des boîtes à chaussures ouvertes sur le côté que votre enfant peut décorer. Découpez les barreaux dans le couvercle (faites-le de préférence vous-même). Les cages peuvent être rangées de différentes manières: plusieurs animaux dans une cage, par exemple. Montrez-lui les prédateurs, pour qu'il sache quels animaux il ne doit pas mettre ensemble.

Match de souffle

Matériel: *pissenlits avec les aigrettes*

Cherchez des pissenlits qui ont encore leurs aigrettes. Expliquez à votre enfant qu'une graine est accrochée à chaque aigrette, et que le vent dissémine les graines dans la nature.
Organisez alors un match de souffle: qui peut souffler toutes les aigrettes d'un pissenlit en une fois?

Couronne du roi

Matériel: *carton, ciseaux, agrafeuse, matériel de décoration*

Quel enfant ne rêve pas de jouer au roi ou à la reine? Quel enfant ne voudrait pas d'une couronne pour son anniversaire? C'est très simple à faire: découpez la forme dans une longue feuille de carton (mesurez d'abord le contour de la tête), laissez votre enfant la décorer et cousez les extrémités de la couronne.

Pot à vers

Matériel: *grand pot en verre, terre, sable, feuilles mortes, vers de terre*

Les enfants sont fascinés par les vers qui se tortillent. Profitez-en pour leur expliquer la vie de ces animaux: ils vivent sous la terre où ils creusent des galeries. Pour les observer, inventez un pot à vers. Remplissez un grand pot en verre de couches successives de terre et de sable. Ajoutez une couche de feuilles et quelques vers de terre que vous avez ramassés. Couvrez les côtés du pot avec du papier foncé (et un élastique pour le tenir). Après quelques jours, enlevez le papier pour les examiner, puis rendez-leur la liberté.

Semer du cresson

Matériel: *petite assiette, essuie-tout, cresson*

Le cresson est la plante idéale pour apprendre à votre enfant les grands principes du jardinage. On peut le semer sur presque toutes les surfaces humides et il se développe très vite.
Posez sur une assiette quelques couches d'essuie-tout et humidifiez-les. Votre enfant peut ensuite éparpiller les graines. Après quelques jours, les graines commenceront déjà à germer. Quand les plantes ont environ 5 cm, il peut les couper et les manger. Dites-lui bien que toutes les plantes ne sont pas comestibles!

Nez nez nez nez

Matériel: *couvercle d'une boîte d'allumettes*

C'est un excellent jeu pour une petite fête. Les enfants se mettent en cercle. L'un d'eux fait tenir un couvercle de boîte d'allumettes sur le nez.
Il doit la passer à son voisin de gauche sans se servir de ses mains. S'il y a beaucoup d'enfants, organisez une danse. Mettez de la musique et, quand celle-ci s'arrête, celui qui a le couvercle sur le nez a perdu et quitte le cercle. Les deux derniers joueurs reçoivent une récompense.

192

Attrape-mouches

Ce jeu vous permettra de voir si votre enfant a de bons réflexes. Asseyez-vous en face de lui et dites-lui que vos mains sont deux attrape-mouches.
Votre enfant tend ses deux mains, paume vers le bas.
Chatouillez l'extérieur des mains, puis tapez brusquement le dos de ses mains. S'il arrive à les retirer à temps, il devient l'attrape-mouches.

Bateaux-bananes

Matériel: *bananes, fraises, raisins, bâtonnets de cocktails*

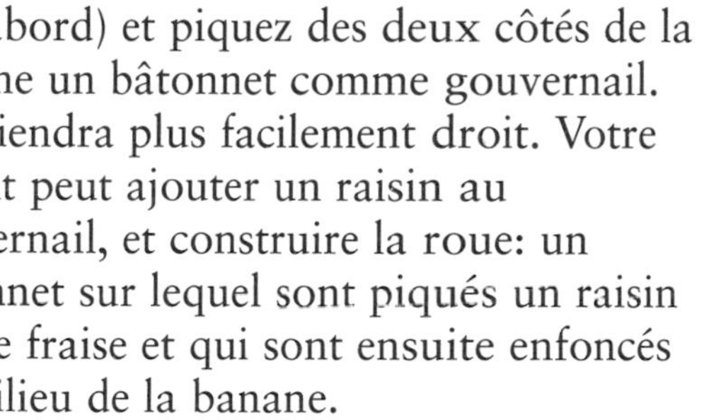

Enlevez la moitié d'une banane (entaillez-la d'abord) et piquez des deux côtés de la banane un bâtonnet comme gouvernail. Elle tiendra plus facilement droit. Votre enfant peut ajouter un raisin au gouvernail, et construire la roue: un bâtonnet sur lequel sont piqués un raisin et une fraise et qui sont ensuite enfoncés au milieu de la banane.

194

Mille-pattes

Tous les enfants se mettent l'un derrière l'autre, les mains à la taille de celui qui est devant. Ils forment un gigantesque mille-pattes.
Mais la 'tête' du mille-pattes a des démangeaisons à sa queue et essaie de l'attraper. Si elle réussit, la tête déménage au bout de la file et le deuxième enfant devient la tête.

195

Mon arbre

Matériel: *jeune arbre, pelle, bêche, seau d'eau, appareil-photo*

Un arbre, c'est un cadeau d'anniversaire vraiment très particulier pour un enfant car il pourra le voir pousser et grandir en même temps que lui.
Plantez l'arbre ensemble avec votre enfant dans le jardin.
Faites poser votre enfant à côté de l'arbre et prenez une photo. Faites de même chaque année, pour avoir une trace de l'évolution de votre enfant par rapport à son arbre.

Toile d’araignée

196

Matériel: *assiette en carton, laine*

Fabriquez un métier à tisser à partir d’une assiette en carton: coupez une douzaine de fois les bords sur 2 cm et tendez des rayons de laine. Attachez un fil au milieu de l’assiette et laissez votre enfant tisser d’avant en arrière. Quand il n’y a plus de fil, attachez-en un autre de la même couleur avec un bouton.

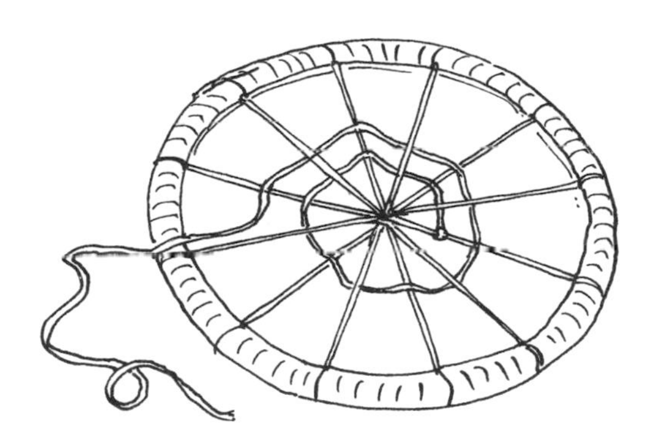

Bâtons-poupées

Matériel: *quelques cuillers en bois, feutres, restes de laine*

Vous pouvez tenir le corps de ces poupées avec une main, et ainsi jouer rapidement des petites saynètes car il n'y a pas de mouvements difficiles des doigts et des mains.
C'est très simple de transformer une cuiller en bois en poupée. Dessinez deux yeux, un nez et une bouche sur le côté arrondi de la cuiller, et ajoutez une jolie coiffure de laine.

Le train de la langue

198

Les petits enfants ne savent pas encore jouer à de vrais jeux de langue, sauf au 'Train dc la langue'. Le but est de répéter des mots ou des phrases de plus en plus vite.

Exemples de phrases intéressantes:

- Un chasseur sachant chasser sans son chien est un bon chasseur.
- Le riz tenta le rat, le rat tenté tâta le riz tentant.
- Danton dîna, dit-on, du dos d'un dodu dindon.

Corde football

Matériel: *deux balles et deux gros morceaux de corde*

Jeu idéal pour la plage. Séparez les enfants en deux équipes et donnez à chaque équipe une balle d'une couleur différente et une corde.

Désignez un point de départ et dessinez un grand cercle dans le sable, à au moins 10 mètres de chaque équipe.

Les joueurs doivent ramener la balle dans leur cercle, mais sans lâcher la corde.

L'équipe qui réussit la première a gagné.

Chaise musicale (en sautillant)

Laissez les enfants sauter en mesure avec la musique. Dès qu'elle s'arrête, tous les enfants doivent s'asseoir sur le sol. Le dernier assis est éliminé.

201

Moutons de laine

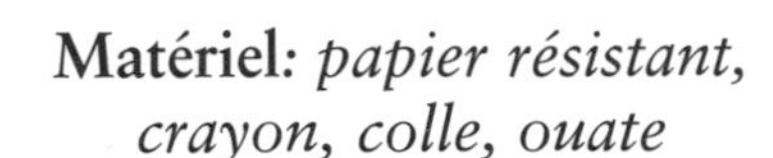

Matériel: *papier résistant, crayon, colle, ouate*

Dessinez sur du papier résistant les contours d'un mouton et enduisez-le de colle. Votre enfant peut faire un joli manteau au mouton en collant des morceaux d'ouate. N'est-ce pas une carte magnifique pour grand-papa ou grand-maman?

202

Cartes à piquer

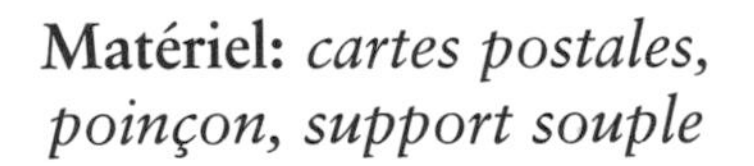

Matériel: *cartes postales, poinçon, support souple*

Les enfants aiment beaucoup piquer des images, et c'est un exercice aussi important que le coloriage. Prenez une carte postale avec un dessin aux contours clairement marqués, mettez-la sur un support souple (par exemple une plaque de liège) et montrez-lui comment piquer. Si les trous sont suffisamment près l'un de l'autre, il pourra même enlever le dessin de la carte.

Balle sur la montagne

203

Matériel: *petite balle, sable, petites cuillers*

2+

Ceci est un jeu calme pour le bac à sable ou la plage. Faites un monticule dans le sable et placez une petite balle au sommet. Donnez une petite cuiller à chaque enfant. Ils doivent chacun à leur tour enlever une cuiller de sable. Celui qui fait tomber la balle du monticule a perdu.

204

Pâte à sel

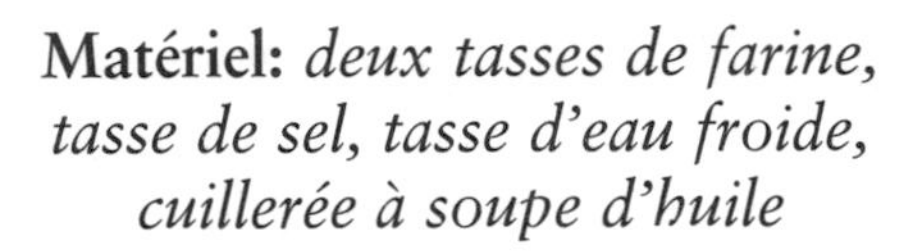

Matériel: *deux tasses de farine, tasse de sel, tasse d'eau froide, cuillerée à soupe d'huile*

Si votre enfant aime bien façonner des formes, vous pouvez lui faire de la pâte à sel. La recette est simple: mélangez de la farine, du sel et de l'eau jusqu'à ce que le mélange devienne solide, et ajoutez un peu d'huile pour rendre la pâte lisse. Quand il a façonné quelques formes, cuisez-les dans un four assez chaud. Le temps de cuisson est de 10 à 20 minutes selon la grandeur de la forme.

205

Mon lit

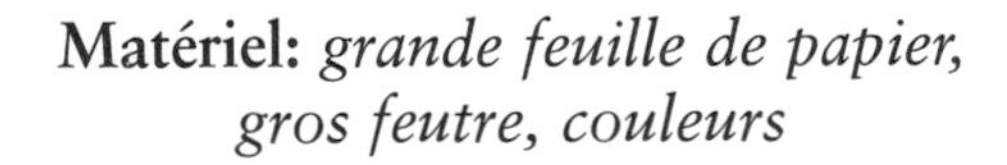

Matériel: *grande feuille de papier, gros feutre, couleurs*

Mettez la feuille de papier sur le sol. Dites à votre enfant que cette feuille est son lit et qu'il doit faire semblant de dormir. Une fois qu'il est couché, dessinez son contour. Le lit est prêt, il peut alors 'l'habiller': ses pantoufles au pied du lit, son pyjama et son jouet favori. Accrochez ensuite le dessin au-dessus de son 'vrai' lit.

Tambours de pluie

Matériel: *pots et casseroles en métal, tuyau d'arrosage*

Que c'est amusant d'utiliser le tuyau d'arrosage quand il fait chaud dehors! Surtout si on peut faire de la musique: disposez dans le jardin quelques pots, casseroles, couvercles en métal. C'est la batterie de pluie. Votre enfant peut diriger le jet d'eau vers un des pots, puis sur un autre, sur une casserole, sur un couvercle. Le son sera à chaque fois différent.

207

Basket-ball

Matériel: *vieux seau en plastique, corde, balle*

Enlevez le fond du seau et accrochez-le à l'aide d'une corde à une branche d'arbre. C'est votre 'panier' que vous pouvez pendre à la hauteur que vous voulez. Votre enfant peut maintenant s'exercer à lancer la balle dedans. D'abord de près, puis de plus en plus loin. Déterminez cette distance en mettant une corde sur le sol. Il doit lancer la balle les pieds derrière la corde.

Tam-tam

208

Matériel: *baril de lessive, cuiller en bois, matériel de décoration*

Un baril de lessive est un excellent tambour. On peut taper dessus avec les mains ou avec une cuiller en bois. Mais naturellement, il faut d'abord le décorer. Avec de la peinture ou du papier coloré (du papier cadeau par exemple). Avec des cordes ou des coquillages...

Collages

209

Matériel: *papier résistant ou carton, vieux magazines, ciseaux, colle*

Donnez à votre enfant un ou plusieurs vieux magazines où il découpe ce qu'il trouve beau. Cela peut lui servir pour un immense collage. Certains enfants colleront les formes de manière désordonnée. Regardez le résultat avec votre enfant et posez-lui des questions: 'Pourquoi le chat est-il dans l'arbre?' 'Pourquoi la dame n'a-t-elle qu'une jambe?' En bavardant, vous lui apprendrez à évaluer son propre travail.

210

Jeu de doigts

Les tout-petits raffolent de ces jeux. Ils apprennent très vite à dire le texte simple, avec les mouvements de doigts correspondants. Les vers suivants sont très connus.

'Au lit, au lit', dit le Poucet.
(tenir le pouce à plat et bouger d'avant en arrière)
'Je veux encore manger', dit le Gourmet.
(lécher l'index)
'Où vais-je prendre à manger?', dit le Longuet.
(faire un point d'interrogation avec le majeur)
'Dans l'armoire de Mamy', dit le Baguet.
(faire un mouvement de clé avec l'annulaire)
'Je vais lui dire!' dit le p'tit Dernier.
(tenir le petit doigt en l'air)

211

Circuit de billes

Matériel: *couvercle d'une boîte à chaussures, crayon, allumettes utilisées, bille*

Les plus grands seront captivés par ce jeu de patience. En plus, ils peuvent aider à préparer le circuit. Dessinez un circuit sinueux sur l'intérieur d'un couvercle de

boîte à chaussures. Collez çà et là des allumettes qui dirigeront la bille dans la bonne direction.
Les règles du jeu sont simples: on place la bille au début du circuit et, en inclinant le couvercle, on la fait rouler jusqu'à la ligne d'arrivée. Bien entendu, la bille ne doit pas sortir des lignes.

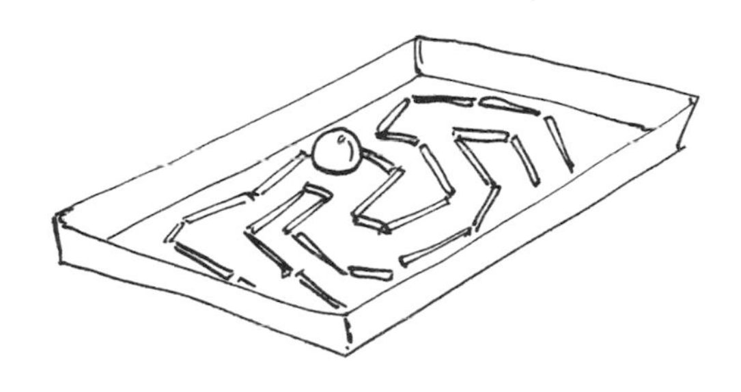

Combat de coussins

Matériel: *deux vieilles taies d'oreiller, coussins ou vieux journaux, longue planche*

Remplissez deux taies d'oreiller avec de vieux journaux ou des coussins. Posez dehors, sur de l'herbe ou sur du sable, une longue planche qui servira de barre d'équilibre. Chaque enfant se met debout sur la planche et essaie avec son 'arme' de pousser l'autre en dehors.

213

Attrape-anneaux

Matériel: *anneau de rideau en bois, bâton de 20 cm, corde de 50 cm*

Excellent jeu de patience. Attachez la corde au bâton et à l'anneau. Votre enfant doit essayer d'envoyer l'anneau sur le bâton.

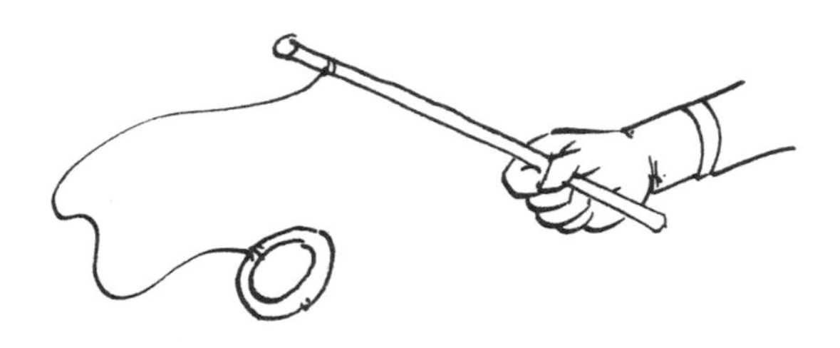

214

Salade de fruits

Matériel: *différentes sortes de fruits + une orange et un citron*

Mettez sur la table une grande feuille de plastique et donnez à votre enfant une planche de cuisine et un couteau bien aiguisé (un couteau émoussé est plus dangereux car il faut utiliser plus de force!). Préparez également un bol. Si votre enfant est assez âgé, faites-lui éplucher le fruit (lavé). Pressez d'abord vous-même l'orange et le citron et versez le jus dans le bol. Montrez à votre enfant comment couper le fruit. Remuez de temps en temps le fruit dans le jus pour qu'il ne brunisse pas.

Danse siamoise

215

Votre enfant se met sur les pieds, après avoir enlevé ses chaussures, et vous regarde. Pendant que la musique joue, vous dansez ensemble. Vous pouvez ainsi montrer à votre enfant de vrais pas de danse, en lui apprenant à suivre vos mouvements.

Le langage secret des gestes

216

Apprenez à votre enfant à faire des signaux avec les gestes. Aussi bien un mot (par exemple 'Maison') qu'une phrase (par exemple 'Je veux aller à la maison'). Gardez le jeu simple et voyez combien de gestes votre enfant peut retenir. Vous pouvez en faire un langage secret que seuls vous et votre enfant pourrez comprendre.

Dessiner avec les pieds

Matériel: *papier et crayon*

Faites asseoir votre enfant sur une chaise basse ou sur un petit banc. Déposez devant lui une feuille de papier et coincez un crayon entre ses orteils. Arrive-t-il à dessiner? Et avec sa bouche?

Sons à la bouche

Les sons de la vie courante comme la sonnerie du téléphone, le grésillement du beurre dans la poêle, un livre qui tombe ou la machine à laver, peuvent être imités avec la voix. Cela apprend à votre enfant à être attentif aux sons qui l'entourent.

Faire des cachets

Matériel: *blocs de bois ou bobines de fil, vieille chambre à air, couvercle en plastique, morceau de mousse, colle, peinture, papier*

C'est facile de faire des cachets. Dans une vieille chambre à air, découpez toute une série de formes ou, pour les plus grands,

des lettres. Collez-les sur des blocs de bois ou sur des bobines de fil. Utilisez de la peinture comme encre, et un morceau de mousse dans un couvercle en plastique comme tampon.
Votre enfant s'exercera calmement à faire des cachets, et les plus grands peuvent même en faire sur leur papier cadeau.

Le plus haut

220

Matériel: *dé, petit pot avec des haricots ou des boutons*

Les enfants qui commencent à compter peuvent jouer à 'Le plus haut'. Ils jettent les dés à tour de rôle. Celui qui marque le plus de points peut prendre un haricot ou un bouton dans le pot. Quand le pot est vide, tout le monde compte ses points.

221

Bingo des tout-petits

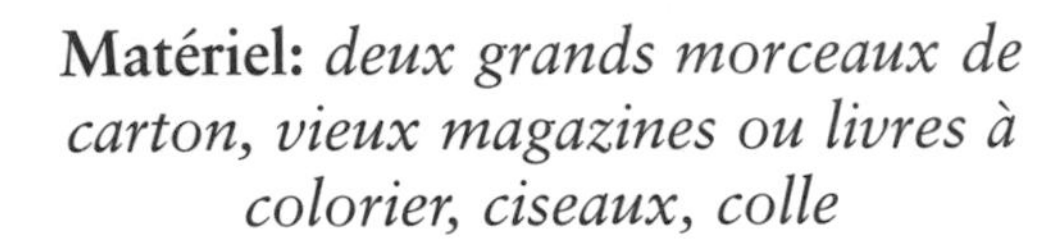
Matériel: *deux grands morceaux de carton, vieux magazines ou livres à colorier, ciseaux, colle*

Découpez un grand morceau de carton en triangles ou en carrés. Collez sur chaque case une forme bien nette, dans un magazine ou, mieux encore, dans un livre à colorier.
Faites une copie en noir et blanc du plan de jeu et collez-la sur le deuxième morceau de carton. Ce sont vos cartes de bingo. Le but est que votre enfant réussisse à mettre les cartes noir et blanc sur les cartes en couleur correspondantes.

Je vois... Je vois...

222

Choisissez un objet dans la chambre et dites à votre enfant: 'Je vois... Je vois... ce que tu ne vois pas.' Curieux, il vous demande ce que vous voyez mais vous ne lui donnez qu'un aspect de la réponse. Par exemple 'C'est rouge' ou 'C'est rond'. Votre enfant doit alors regarder autour de lui et essayer de trouver l'objet. Vous pouvez ensuite inverser les rôles.

Sablés

223

Matériel: *1 œuf, 60 g de sucre, une pincée de sel, 150 g de farine, 60 g de beurre, fruits confits, raisins secs, noix...*

Faites une pâte avec l'œuf, le sucre, le sel et la farine et fourrez-la de petits morceaux de beurre. Mettez la pâte un quart d'heure au frigo et posez-la ensuite sur le plan de travail couvert de farine. Roulez la pâte jusqu'à ce qu'elle soit épaisse d'environ 0,5 cm. Laissez les enfants découper toutes sortes de formes dans la pâte et les décorer avec des fruits confits, des raisins secs et une demi-noix. Déposez les biscuits sur une plaque bien graissée et laissez cuire 10 à 15 minutes dans un four préchauffé (180 °C).

224

Mur chinois

Matériel: *craie*

Dessinez deux longues bandes à la craie sur le sol, à environ un mètre l'une de l'autre. C'est le mur chinois. Placez un défenseur à l'intérieur des lignes.
Les autres se tiennent à distance d'un côté du mur.
Ils essaient d'arriver de l'autre côté, en traversant le mur. Le défenseur essaie de les toucher. Celui qui se fait attraper le rejoint à l'intérieur des lignes.
Le jeu est terminé quand il n'y a plus personne pour passer de l'autre côté.

225

Bandes de zèbre

Matériel: *papier brun et blanc, peinture blanche et brune*

Parlez à votre enfant des zèbres qui vivent sur les plaines d'Afrique.
Ils ont tous un type de rayure différent, comme les gens ont tous une empreinte différente.
Dessinez quelques zèbres (sans rayures!) sur du papier brun et blanc et laissez votre enfant dessiner les rayures.

Masque sur un bâton

Matériel: *bâton, carton, toutes sortes de matériel de décoration, colle*

C'est simple de faire un masque sur un bâton. Découpez un visage dans du carton et fixez-le sur un bâton. N'oubliez pas deux trous pour les yeux.
Pour les plus petits, bricolez le masque vous-même en écoutant leurs idées. Les plus grands peuvent décorer eux-mêmes leur masque. Donnez-leur simplement quelques recommandations et éventuellement un coup de main s'ils ne savent pas comment continuer.

227

Ballet d'eau

Matériel: *papier résistant, couleurs, ciseaux, bouchon, clous, eau, paille*

Dessinez plusieurs poupées sur du papier que votre enfant découpe et colorie. Prenez un bouchon pour chaque poupée et faites une fente au bout du bouchon. Glissez-y la poupée. Attachez un clou en dessous pour équilibrer et que les poupées continuent ainsi de flotter. Si votre enfant souffle avec une paille, les poupées danseront sur l'eau.

Voyage mémoire

Matériel: *reportage photo d'une promenade de l'enfant*

Les enfants aiment regarder les photos, surtout s'ils sont dessus. Prenez l'habitude de prendre des photos des petites promenades que vous faites ensemble, et vous aurez très vite une belle collection de photos pour un bon jeu de mémoire. Regardez les photos ensemble et discutez-en. Vous pouvez les classer selon l'époque où elles ont été prises. Vous pouvez également en mélanger quelques-unes et laisser votre enfant les remettre dans l'ordre.

Champignon à la pêche

Matériel: *bananes, pêches en boîte, granulés de chocolat*

Même les plus petits peuvent faire cette recette eux-mêmes, mais montrez-leur la première fois. Coupez une banane en morceaux d'environ 3 cm. Mettez un morceau de banane droit sur une assiette. Comme chapeau, prenez une demi-pêche. Saupoudrez de quelques granulés et votre champignon à la pêche est prêt.

230 Panier de châtaignes

Matériel: *panier, châtaignes (ou marrons)*

Donnez cinq châtaignes à chaque enfant et laissez-les prendre place à quelques pas d'un panier posé sur le sol. Le nombre de pas dépend de l'âge de l'enfant. Commencez par un pas et augmentez progressivement le degré de difficulté. Les enfants doivent chacun à leur tour essayer de jeter leur châtaigne dans le panier. Chaque fois qu'ils réussissent, ils reçoivent un point. Celui qui en gagne le plus reçoit une récompense.

231 Jardin miniature

Matériel: *grand bac en plastique, terre, matériaux naturels*

Laissez votre enfant créer son propre jardinet dans un bac en plastique rempli de terre. Des touffes de mousse, fleurs, rameaux, quelques cailloux, du sable pour faire un chemin, tout ce qu'on trouve dans un vrai jardin. Avec un miroir, votre enfant peut même faire un ruisseau. Il peut également prévoir un coin pour ses jouets.

Mobile d'oiseaux

Matériel: *carton de couleur, feutre noir, plumes, colle, bâtonnets ronds*

Découpez dans des cartons plusieurs oiseaux. Dessinez des deux côtés au feutre noir le contour du bec et d'un œil. Laissez votre enfant coller des plumes sur le corps. Faites un trou dans chaque oiseau, passez une aiguille et accrochez le fil à un bâtonnet. Le plus difficile est de garder le mobile en équilibre. Il faut parfois déplacer légèrement l'aiguille.

233

Sons d'animaux

On peut caqueter comme une poule et caqueter comme un canard, et vous pouvez jouer ainsi avec votre enfant. Faites-lui entendre des sons d'animaux et demandez-lui de les imiter: la poule en battant des ailes ou la grenouille en faisant de grands sauts.

234

Dégustation de biscuits

Matériel: *corde, biscuits de déjeuner*

Tendez une corde entre deux arbres ou entre deux piquets et pendez-y autant de biscuits qu'il y a d'enfants. Dites aux enfants qu'ils doivent le manger aussi vite qu'ils le peuvent, mais sans utiliser leurs mains.

235

Football soufflé

Matériel: *table, bandes de carton, adhésif, deux boîtes, grandes pailles, balle de ping-pong*

Faites une 'barrière' de chaque côté de la table avec les plaques en carton. Sur la largeur, faites une cage (une boîte couchée sur le côté) et mettez une balle de ping-pong au milieu de la table. Chaque enfant reçoit alors une paille et essaie de souffler la balle dans la cage de l'autre joueur. Celui qui réussit marque un but.

Boîte aux trésors de la nature

236

Matériel: *boîte à œufs*

Les promenades dans la nature sont toujours l'occasion de découvrir des trésors. Il y a tellement à voir et à trouver. Tout est magnifique. Emportez donc toujours une boîte à trésors avec vous, par exemple une boîte à œufs. Elle ne pèse pas grand-chose et permet de ranger bien des trésors.

Course aux livres

Matériel: *vieux livres*

Voulez-vous que les enfants courent avec un beau dos bien droit? Organisez donc une course aux livres. Décidez d'une ligne de départ et d'arrivée et faites-les se mettre derrière le départ. Posez un livre sur la tête de tous les enfants. Au signal de départ, ils doivent essayer de courir vers la ligne d'arrivée, sans tenir le livre avec les mains. L'enfant qui perd son livre en route doit s'arrêter pour le ramasser et le remettre.

Poche à toucher

238

Matériel: *vieille taie d'oreiller,*
toutes sortes d'objets

Remplissez une taie d'oreiller ou un grand sac-poubelle avec toutes sortes d'objets: une petite auto, un marteau, une coupe en plastique... Laissez votre enfant les toucher et les nommer sans les toucher. Mettez également dans le sac une pomme ou un autre fruit, ce sera sa récompense.

Nappe de table

239

Matériel: *vieil annuaire, carton résistant,*
plastique autocollant,
colle, fougères, feuilles, fleurs...

Laissez votre enfant faire sa propre nappe, qu'il peut décorer avec des fleurs, des feuilles ou des fougères. Laissez-les sécher d'abord dans un vieil annuaire, pendant au moins une semaine. Ensuite posez les feuilles et les fleurs séchées sur le carton et fixez-les avec un peu de colle. Découpez le plastique autocollant sur mesure, mais laissez 2 cm pour la couverture. Étendez le plastique sur le carton et aplatissez-le bien avec votre main à plat. Rabattez les bords.

Seaux-surprises

Matériel: *seaux, surprises, balles*

Déposez des surprises au fond de plusieurs seaux: bonbons, noix, fruits, petits cadeaux (pour un anniversaire). Une surprise différente dans chaque seau. Mettez les seaux proches les uns des autres, en rond par exemple, et laissez les enfants prendre place à quelques pas des seaux. Ils doivent essayer de lancer chacun à leur tour une balle dans les seaux. S'ils réussissent, ils peuvent prendre une surprise.

Dessin à paillettes

Matériel: *papier à dessin, craie, sel, eau, brosse à peinture*

Laissez votre enfant faire un dessin simple à la craie, pas colorié (seulement le contour). Remplissez un pot d'eau salée: une part d'eau et une part de sel.
Dès que le sel est fondu, l'enfant peut étendre l'eau salée sur le dessin à l'aide d'une brosse à peinture.
Laissez ensuite sécher, le résultat est magnifique!

Moi et mes amis

Matériel: *carton résistant, pailles, photos ou images, ciseaux, colle*

A l'aide de pailles, séparez l'image en différents compartiments. Dans l'un d'entre eux, collez une photo de votre enfant, et dans les autres vous pouvez mettre des photos de ses amis et amies. Si vous n'avez pas de photos, vous pouvez laisser votre enfant réaliser son 'cercle d'amis' avec des images de ses animaux favoris ou des portraits dessinés de ses amis.

Puzzle autoportrait

Matériel: *photo de l'enfant, morceau de bois, scie*

Cherchez (ou faites) une photo de votre enfant, qui ne doit pas être trop petite. Collez-la sur une plaque de bois et sciez le tout en morceaux irréguliers. Votre enfant peut maintenant recomposer le puzzle avec son portrait.

Lire les visages

Asseyez-vous en face de votre enfant et dites-lui que l'on peut lire sur le visage de quelle humeur sont les gens. Montrez-lui différents visages: content, triste, fâché, anxieux, surpris... Cachez-vous entre chaque visage derrière un livre ou un journal. Ensuite, changez les rôles.

Panier à carottes

Matériel: *très grosse carotte, cure-dent, trombones, eau*

Pour réaliser cet étrange panier, il vous faut une très grosse carotte avec encore un peu de vert. Coupez environ 5 cm de la carotte (du côté du feuillage). Évidez-la avec un couteau coupant. Passez un cure-dents à travers la carotte et laissez votre enfant faire un collicr dc trombones. Accrochez le petit panier au collier et remplissez-le d'eau. Le feuillage de la carotte recommencera bientôt à grandir.

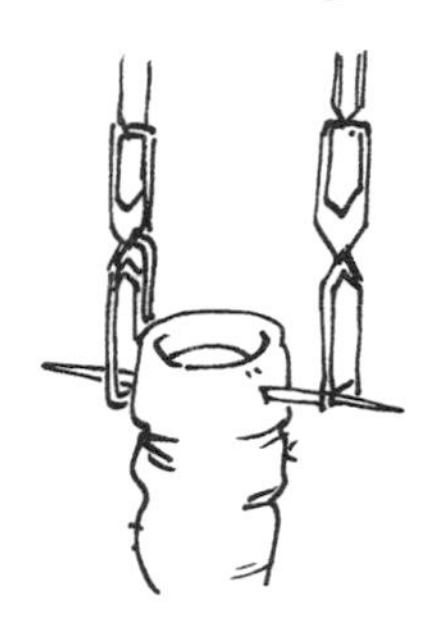

Pêche aux canards à l'envers

Matériel: *bouteilles, longs clous, bâtons, corde*

Chaque enfant reçoit une canne à pêche. C'est un bâton auquel pend une corde d'environ 50 cm. Un long clou est attaché au bout de la corde. Chaque enfant a devant lui une bouteille vide. Il doit le plus vite possible faire tomber son 'poisson-clou' dans la bouteille.

247

Pomme hérisson

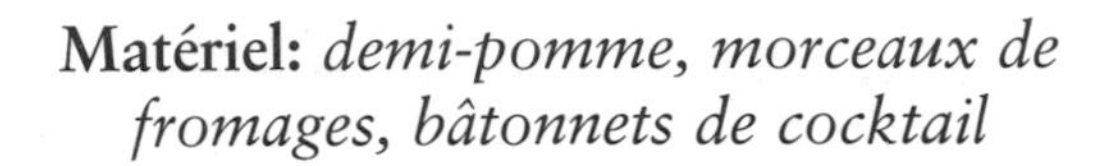

Matériel: *demi-pomme, morceaux de fromages, bâtonnets de cocktail*

Les tout-petits aussi sont capables de transformer une demi-pomme en hérisson. Posez la pomme sur une assiette (c'est le corps du hérisson). Les épines consistent en bâtonnets de cocktail sur lesquels votre enfant fixe des cubes de fromage ou du salami, des légumes crus, des raisins...

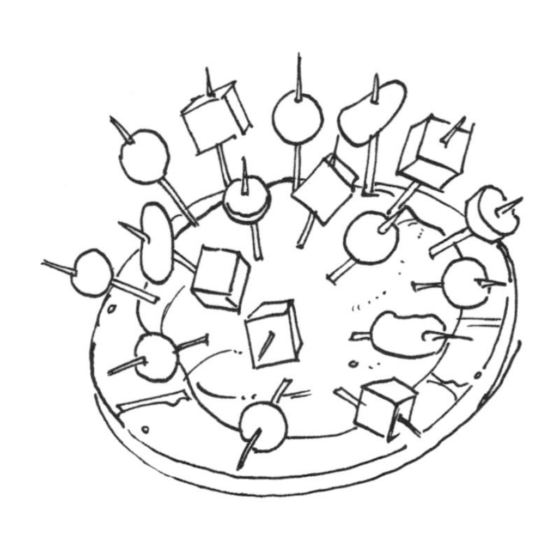

Mini-jeu de l'oie

248

Matériel: *feuille de papier résistant, feutre noir, crayons de couleurs, dé, pions, bonbons ou noix*

Dessinez un jeu de l'oie sur du papier résistant. Le nombre de cases n'a pas d'importance, et elles ne doivent même pas être numérotées. Laissez votre enfant colorier lui-même le jeu. Au début du jeu, déposez quelques bonbons ou des noix sur plusieurs cases. Dans la dernière case, déposez un morceau de fruit. Ensuite, chacun à son tour jette les dés. Le nombre de points correspond au nombre de cases que l'on peut avancer. Celui qui arrive sur une case avec un bonbon peut le manger. Qui atteindra le morceau de fruit en premier?

Bain ping-pong

249

Matériel: *balles de ping-pong*

Les balles de ping-pong sont d'excellents jouets pour le bain. On peut les faire dériver vers l'autre bout de la baignoire en faisant des vagues. Et, si on les maintient sous l'eau, elles bondissent hors de l'eau quand on les lâche.

250

Dessin en miroir

Matériel: *papier, crayon, miroir*

Dessinez sur une feuille de papier un chemin sinueux avec deux lignes de même largeur. Au début du chemin, dessinez un chat et au bout, une souris. Derrière le papier, placez un miroir.
Demandez à votre enfant de suivre le chemin du chat vers la souris avec un crayon, mais en ne regardant que dans le miroir.

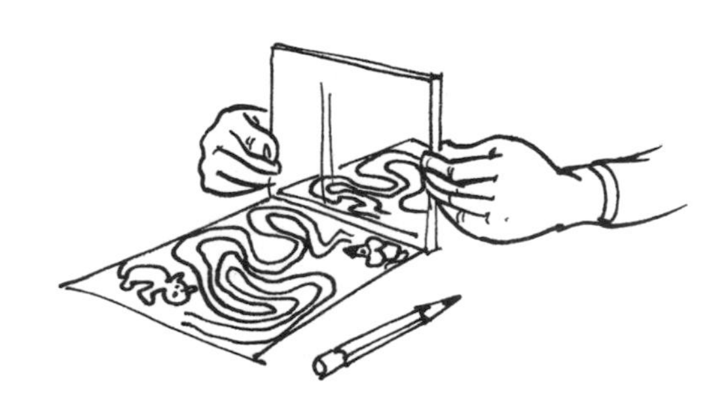

251

Paires

Matériel: *vieux magazines, carton, ciseaux, colle*

Cherchez dans des magazines des images qui forment des paires: un tube de dentifrice et une brosse à dents, une chaussure et un pied, un arbre et une feuille... Collez chaque image sur du carton. Placez les cartes au hasard devant votre enfant et laissez-le trouver les paires.

Figurines de colle

252

Matériel: *colle blanche, feuille d'aluminium, feutres de couleurs*

Imprégnez la feuille d'aluminium de colle blanche, en couches assez épaisses pour que vous puissiez l'enlever après que l'aluminium a durci. Dès que les 'figurines de colle' sont solides, votre enfant peut dessiner dcssus avec des feutres colorés. Pendez les figurines par la fenêtre, pour que la lumière passe à travers.

Masque de boîtes

253

Matériel: *boîte en carton pas trop grande, peinture ou papier de couleurs, bouts de laine ou de corde, colle*

Découpez deux ouvertures pour les yeux dans une boîte en carton adaptée à la tête de votre enfant. Laissez-le ensuite, avec ou sans votre aide, coller les cheveux et faire un nez et une bouche.

254

Jeu du balai

Matériel: *balai*

Les enfants forment un cercle en se donnant la main. Au centre du cercle, enfoncez un balai dans le sol, la brosse vers le haut. Au signal de départ, les enfants doivent se pousser contre le balai. Celui qui le fait tomber est éliminé. Puis, ils remettent le balai droit et ils recommencent. Le dernier enfant à être éliminé est le vainqueur.

255

Jardin d'hiver

Matériel: *carotte, betterave, navet, grand plat, cailloux*

Votre enfant peut préparer un jardin d'hiver et s'en occuper lui-même. Prenez une carotte d'hiver, une betterave et un navet où l'on peut voir encore un peu de feuillage. Découpez les légumes à 3 cm du haut. Utilisez la partie inférieure pour la cuisine. Mettez la partie supérieure, avec le feuillage, dans un plat avec un fond d'eau. Votre enfant peut décorer le plat en mettant des cailloux tout autour des légumes. Après quelques jours, de nouvelles feuilles commenceront à pousser.

Ma main

Matériel: *forme en plastique, peinture, vernis, plâtre*

Lisez d'abord attentivement le mode d'emploi de la poudre de plâtre pour ne pas le faire trop liquide. Versez-le dans une forme en plastique ronde ou rectangulaire un peu plus grande que la main de votre enfant. La forme doit être remplie de 4 à 5 cm. Laissez ensuite votre enfant enfoncer sa main dans le plâtre, la paume vers le haut, et la tenir quelques instants. Laissez ensuite le plâtre durcir.
Quand il est tout à fait durci (c'est assez rapide), sortez-le de la forme pour le laisser sécher. Ajoutez une couche de peinture et de vernis par-dessus et laissez votre enfant décorer sa main à sa manière.

Le bouton qui siffle

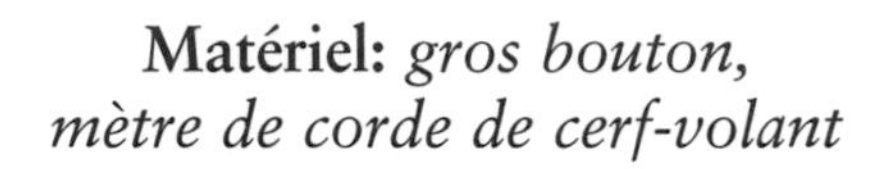

Matériel: *gros bouton, mètre de corde de cerf-volant*

C'est facile de faire siffler un bouton: prenez un morceau de corde à cerf-volant, passez-le par les trous et attachez les extrémités. Montrez à votre enfant comment glisser les pouces par les extrémités et guidez ses bras pour remonter le mécanisme. Refaites le même mouvement jusqu'à ce que l'enfant ait compris le 'truc' pour faire lui-même rouler le bouton.

Jeu de l'allumette

258

Matériel: *bouteille de limonade, boîte d'allumettes*

Ceci est un jeu d'agilité. Mettez la bouteille vide sur la table et laissez votre enfant poser le plus d'allumettes possibles sur le goulot, une par une. Donnez-lui d'abord seulement trois allumettes. S'il réussit, donnez-en quatre, cinq, six... Ainsi, il améliorera sa performance.

Jeu du facteur

259

Matériel: *papier, enveloppes, boîtes, ciseaux, peinture, articles de bureau*

Fabriquez des boîtes aux lettres à partir de quelques vieilles boîtes que vous découpez. Chaque boîte aux lettres est d'une couleur différente. Donnez à votre enfant une série de lettres (si possible dans de vraies enveloppes) où vous écrivez à chaque fois une adresse d'une couleur différente. Cela n'a aucune importance que votre enfant sache lire ou non, car seule la couleur compte. L'objectif est en effet que votre enfant réussisse à mettre les lettres dans la boîte de la bonne couleur.

260 Guirlandes de pop-corn

Matériel: *maïs soufflé, fil et aiguille*

Faites du maïs soufflé (pop-corn en anglais) en suivant la recette expliquée au n° 50. Laissez votre enfant faire de longues guirlandes.

261 Chats qui dorment

Si les enfants sont un peu fatigués de jouer, dites-leur qu'il est temps de jouer aux 'chats qui dorment'. Ils sont des chats qui ont chassé les souris toute la journée et qui vont maintenant dormir. Dès qu'un 'chat' bouge, il doit aller s'asseoir et surveiller les autres. Celui qui reste le plus longtemps immobile a gagné.

262 Sablier

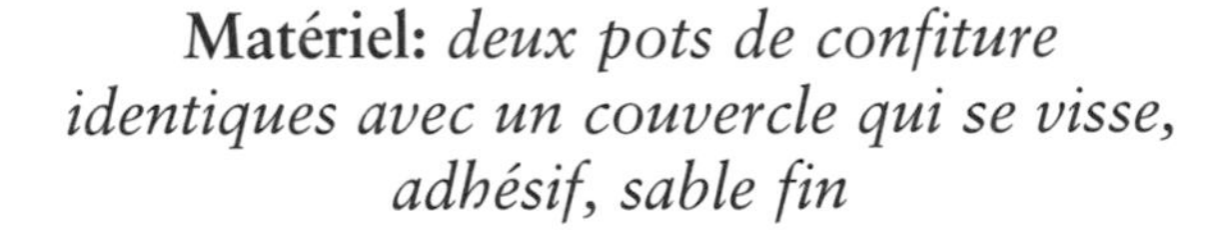

Matériel: *deux pots de confiture identiques avec un couvercle qui se visse, adhésif, sable fin*

Ce sablier est simple à faire, et votre enfant sera très content de pouvoir l'utiliser pour compter le temps de certains jeux. Percez un trou au milieu du couvercle (plus le trou est grand, plus le sable s'écoulera rapidement). Mettez du sable dans le pot et revissez le couvercle. Mettez l'autre pot à l'envers sur le premier après avoir aussi percé le couvercle et collez-les ensemble avec de l'adhésif résistant. Le sable s'écoulera de l'un des pots vers l'autre.

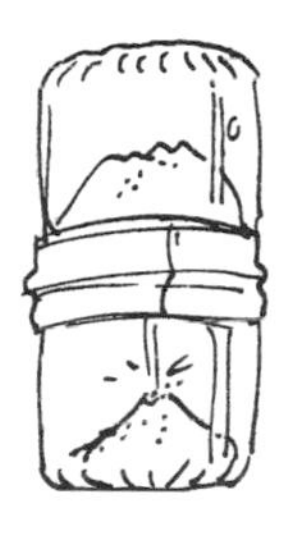

Balle à souffler de table

Matériel: *table, morceau d'ouate*

Chaque enfant se place d'un côté de la table. S'il y a quatre enfants, deux enfants se mettent de chaque côté. Placez un morceau d'ouate au milieu de la table. Les enfants doivent 'souffler' le morceau d'ouate de la table. Attention: ils ne doivent pas toucher la table!

264

Eau de rose

Matériel: *feuilles de roses, eau, passoire, petit entonnoir, flacon de parfum*

Quand les roses sont en fleur, montrez aux enfants comment créer leur propre eau de rose. Ramassez d'abord des feuilles de roses (attention, les roses, ça pique!). Quand vous en avez assez, déposez-les dans un petit bol, dans un fond d'eau. Ils doivent les remuer jusqu'à ce que l'eau se colore, puis vous pouvez la filtrer avec une passoire et la verser dans un flacon de parfum à l'aide de l'entonnoir.

265

Souffler la balle (jardin)

Matériel: *balle de ping-pong, deux morceaux de corde*

Tendez deux morceaux de corde sur la pelouse fraîchement tondue, à environ un mètre de distance l'un de l'autre. Au milieu des lignes, déposez une balle de ping-pong. Formez deux équipes de un, deux ou trois enfants, qui se mettent derrière les lignes, l'une en face de l'autre. Au signal de départ, ils commencent à souffler le plus fort possible: ils doivent amener la balle au-delà de la ligne de l'autre équipe. S'ils réussissent, ils reçoivent un point ou une autre récompense.

Ballon en zigzag

266

Matériel: *ballon, bille, corde, bouteilles en plastique*

Glissez quelques billes dans le ballon (cela lui donne plus de poids) et gonflez-le. Pendez-le ensuite avec une corde à une branche d'arbre ou une corde à linge. Il doit pendre à environ 10 cm du sol. Posez quelques bouteilles en plastique sur le sol, à 20 ou 30 cm du ballon. Le but est de faire balancer le ballon pour qu'il renverse les bouteilles. Qui renversera le plus de bouteilles?

267

Œuf champignon

Matériel: *œuf dur, mayonnaise, demi-tomate, feuille de salade*

Cette recette est tellement simple que votre enfant n'a presque pas besoin de votre aide. Montrez-lui tout de même la première fois.
Découpez la base et le dessus d'un œuf dur. Posez-le verticalement sur une feuille de salade et mettez une demi-tomate en chapeau. Ajoutez quelques cuillerées de mayonnaise sur le chapeau pour les taches.

Dessins de mousse

268

Matériel: *eau savonneuse, colorant, paille, papier*

Préparez une bassine avec de l'eau savonneuse où vous avez ajouté un peu de colorant. Montrez à votre enfant comment souffler dans la paille pour former des nuages de mousse. Posez ensuite délicatement une feuille de papier sur le nuage et retirez-la: n'est-ce pas un magnifique dessin de mousse?

Jeu de lumière

269

Matériel: *lampes de poche, papier de soie de couleur ou mouchoirs colorés*

C'est un jeu pour le soir avant d'aller dormir. Il vous faut trois lampes de poche: une pour l'enfant et deux pour les parents.

En les recouvrant de papier de soie ou de mouchoirs, vous pouvez leur donner différentes couleurs.

Le but est d'éclairer le plafond et de toucher les rais de lumière des autres. Les couleurs se mélangeront au plafond.

270 Bateau qui coule

Matériel: *bac en plastique, châtaignes*

Un bac en plastique flotte sur l'eau. Mais flottera-t-il encore si on le remplit de châtaignes ou d'autres objets? Laissez votre enfant essayer. Combien de châtaignes faut-il pour que le bateau coule? Et que se passe-t-il si on met le même nombre de châtaignes dans un bateau plus grand?

271 Jacques a dit

Votre enfant doit obéir à tout ce qu'un enfant imaginaire (Jacques) lui dit de faire. Commencez avec des choses simples, comme 'Jacques a dit: Mettez-vous sur une jambe'. Donnez progressivement des ordres plus difficiles, comme 'Jacques a dit: Touchez votre nez, tirez la langue et tournez en rond'.

272 Équilibre

Ce jeu permet à votre enfant de mieux connaître son corps et ses possibilités. Commencez par des choses très simples, comme se mettre sur une jambe ou sauter sur un pied, puis sur un pied et deux mains, sur un pied et une main. Et pourquoi pas sur la tête et une main (dans ce cas, vous devez naturellement le tenir)?

Dessins de nuages

Matériel: *bouts de laine, papier résistant, ciseaux, colle*

Donnez à votre enfant des restes de laine d'épaisseurs et de couleurs différentes. Avec les fils de laine, il peut faire n'importe quelle forme et la maintenir avec un peu de colle. Pour colorier une surface complète, enduisez-la de colle puis fixez des petits morceaux de laine.

274

Hutte

Matériel: *boîte à chaussures, branches de même épaisseur, scie, vis à bois, colle à bois*

Aidez les plus grands à construire une mini-hutte. Ils apprendront à manier une scie et un étau. Laissez-les d'abord découper une porte et une fenêtre dans la boîte à chaussures.
Ils doivent ensuite scier les branches à la bonne grandeur et les coller sur la boîte avec de la colle à bois.

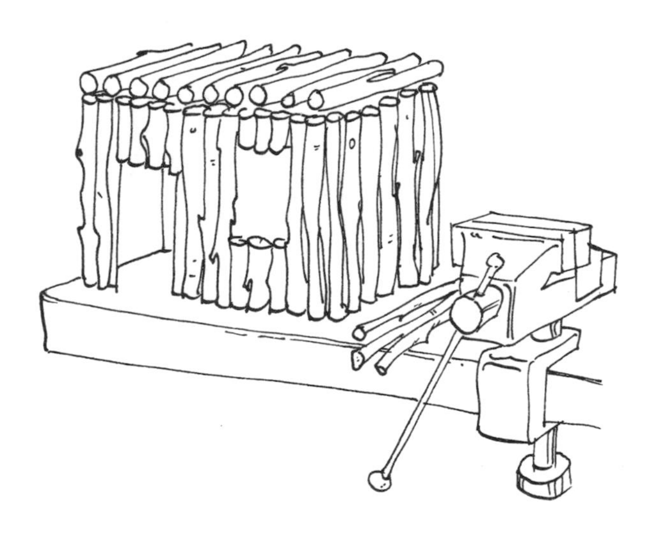

Truffes au chocolat

275

Matériel: *125 g de chocolat fondant, 60 g de beurre, granulés de chocolat*

Râpez d'abord le chocolat fondant. Les grands enfants peuvent essayer, mais faites attention qu'ils ne se râpent pas les doigts. Soyez vigilant.
Le beurre doit d'abord être battu en crème et mélangé au chocolat. Laissez ce mélange 1 à 2 heures dans le réfrigérateur, puis faites-en des boulettes, que vous roulez ensuite dans les granulés.
Encore quelques heures au réfrigérateur pour durcir le tout, et les truffes sont prêtes.

Jardin de fleurs

276

Matériel: *morceaux de tissu à fleurs, papier résistant, colle, ciseaux*

Laissez votre enfant découper des fleurs, des feuilles et des tiges dans du tissu. Pour les feuilles et les tiges, il peut les découper dans de l'étoffe brune.
Il les colle ensuite sur le papier, éventuellement sorte par sorte, pour avoir un jardin garni de fleurs.

277

Mosaïque

Matériel: *carton résistant, colle, toutes sortes de graines, pépins, pâtes...*

Dessinez une forme simple sur le carton, avec de grandes cases dont les contours sont bien marqués: une maison avec un parterre de fleurs et un arbre par exemple. Collez-les vous-mêmes, en tout cas pour les plus petits. Travaillez case par case et utilisez un seul 'matériel à mosaïque' à la fois.

278

Poupées de famille

Matériel: *photos des membres de la famille, bâtons de bambou*

Cherchez dans les albums photos des portraits des membres de la famille, ou rendez-leur visite avec votre enfant et prenez une photo de chacun d'entre eux. Vous êtes alors certain que personne ne sera flou.
Découpez les portraits et montez-les sur un bâton de bambou où vous avez auparavant fait une encoche. Laissez votre enfant s'amuser avec les poupées de famil-le. Quand il a fini de jouer, mettez les

bâtons dans un pot avec du sable que vous placez dans sa chambre: il se sentira toujours bien entouré par sa famille.

Carillon

Matériel: *manche à balai, corde, objets en métal, cuiller en métal*

Posez un manche à balai sur deux chaises et accrochez quelques cordes. Partez alors ensemble avec votre enfant à la recherche d'objets métalliques, surtout dans la cuisine et la boîte à outils. Attachez les objets à la corde et donnez-lui une cuiller en métal pour qu'il puisse les faire tinter.

280 Poster d'animaux

Matériel:
vieux magazines (surtout des magazines pour enfants ou sur la nature)

Laissez votre enfant chercher des images d'animaux dans des magazines, en essayant d'en trouver le plus possible. Il doit ensuite les découper et les coller sur une feuille de papier.
Accrochez ce poster dans sa chambre et apprenez-lui à retenir le nom des différents animaux.

281 Semer des tournesols

Matériel: *graines de tournesol, arrosoir*

Si vous avez un jardin, votre enfant sera très heureux de pouvoir lui-même faire le sien. Surtout avec d'immenses fleurs!
Nettoyez soigneusement le sol (enlevez toutes les mauvaises herbes) et laissez votre enfant creuser quelques trous pas trop profonds, à 50 cm l'un de l'autre. Dans chaque trou, il sème deux ou trois graines qu'il recouvre de terre. S'il arrose bien, il verra après quelques jours les fleurs sortir de terre.

Poupées de chaussettes

Matériel: *vieilles chaussettes, boutons, papier résistant, colle, Velcro*

C'est très facile de transformer de vieilles chaussettes en poupées. Accrochez des boutons pour les yeux et le nez sur du Velcro. Découpez la bouche (faites-en plusieurs, aussi bien souriante que triste) dans du papier rouge et collez-la également sur du Velcro.
Si vous avez assez de nez, d'yeux et de bouches, votre enfant pourra donner un visage différent à chaque chaussette.

283 Le clown qui crache

Matériel: *boîte, peinture ou papier de couleur, bouts de laine, balle de ping-pong peinte en rouge, morceau de feutre rouge, billes ou petites balles*

Transformez une boîte en carton en tête de clown, avec tout le matériel que vous avez préparé. Faites une entaille sous la boîte et faites dépasser une longue langue rose.

284 Geler et fondre

Laissez votre enfant courir, marcher, sautiller, rouler ou danser. Dès que vous dites ‘Geler’, il doit s’arrêter et rester immobile, s’asseoir, se coucher ou s’accroupir. Si vous dites ‘Fondre’, l’enfant peut se remettre en mouvement. Répétez cela quelques fois et accompagnez votre enfant pour l’amener à faire de grands mouvements dans tous les sens.

Ballons d'eau

Matériel: *ballons*

Les jours d'été quand il fait chaud, les batailles de ballons d'eau sont presque obligatoires. Mettez dans le jardin une grande bassine d'eau et laissez les enfants remplir les ballons et faire un nœud. Ils peuvent soit se canarder, soit viser un but bien précis, comme une bouteille en plastique. Qui réussira le premier à toucher la bouteille?

Clochettes aux poignets et aux chevilles

Matériel: 2 *mètres de fil, clochettes*

Coupez le fil en quatre morceaux et accrochez quelques clochettes à chaque fil. Attachez-les ensuite, sans les serrer, autour des poignets et des chevilles de votre enfant. À chaque pas, les clochettes tinteront. Et s'il saute, s'il court, elles donneront un son différent!

Danse du miroir

Matériel: *grand miroir*

Installez-vous devant le miroir avec votre enfant. Dites-lui que vous passez tous les deux à la télévision. Commencez la danse du miroir en faisant bouger son visage et sa tête, puis bougez les yeux, le nez, les sourcils, etc. Continuez avec d'autres parties du corps, toujours en regardant le miroir. Votre enfant devra imiter vos moindres gestes.

Le livre de découpages de l'alphabet

Matériel: *cahier, vieux magazines ou livres à colorier, ciseaux, colle*

Écrivez une lettre de l'alphabet sur chaque page d'un cahier vierge. Votre enfant doit chercher dans des revues ou des livres à colorier des images qu'il connaît. Découpez-les et laissez-le essayer de les coller sous la bonne lettre. Par exemple arbre en dessous de A, balle en dessous de B, etc. Il aura un beau livre de découpages qui l'aidera dans son apprentissage des lettres de l'alphabet.

Nattes tressées

Matériel: *papier de couleur, ciseaux, adhésif*

Pour préparer une fête, proposez à votre enfant de réaliser une natte tressée. Utilisez des papiers de différentes couleurs que vous découpez en bandes de 1 à 3 cm de large, selon la grandeur de la tresse et l'habileté de votre enfant. Mettez plusieurs bandes les unes à côté des autres et fixez-les avec de l'adhésif. Votre enfant peut alors tisser, d'avant en arrière. Quand il en a terminé une, attachez les trois autres côtés de la natte avec de l'adhésif.

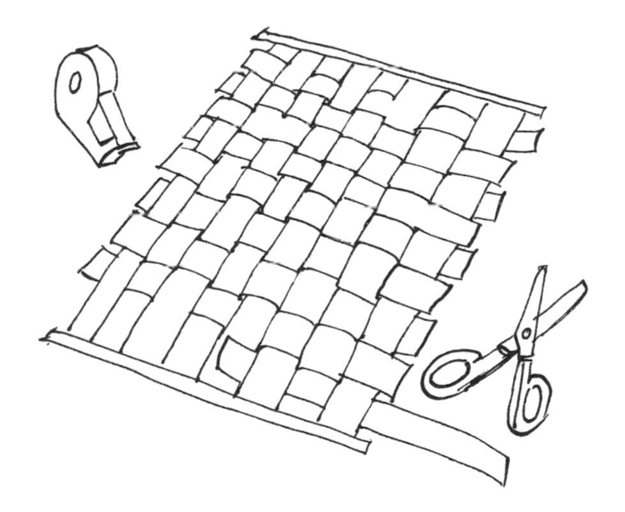

290

Dessous de verres qui roulent

Matériel: *cinq dessous de verres ronds en carton, craie*

Dessinez à la craie trois ronds de différentes grandeurs sur le sol. Écrivez un 3 dans le plus petit cercle, un 2 dans celui du milieu et un 1 dans le plus grand. Les enfants doivent chacun à leur tour faire rouler cinq dessous de verres vers les cercles et compter les points.

291

Série d'allumettes

Matériel: *quinze allumettes*

Ce jeu, particulièrement apprécié des adultes, plaira également aux enfants. Posez quinze allumettes l'une à côté de l'autre sur une table, et chaque joueur peut à son tour en prendre une, deux ou trois. Celui qui prend la dernière a perdu.

Pièges de ballons

292

Matériel: *ballons, corde*

Les ballons amusent beaucoup les enfants lors des petites fêtes. Gonflez-en autant qu'il y a d'enfants et attachez chaque ballon à une corde d'environ 1,5 m à la chaussure droite des enfants. Au signal de départ (ou une musique), les enfants doivent essayer d'attraper le ballon de l'autre. Le dernier qui reste avec son ballon a gagné.

Rouler des crêpes

293

Matériel: *250 g de farine, un peu de sel, 1/2 l de lait, 2 œufs, 1 cuillerée à soupe de beurre fondu, huile, garniture (confiture, sucre...)*

Les enfants adorent les crêpes, alors pourquoi ne pas les laisser préparer la pâte. Les crêpes n'en seront que meilleures! Mélangez la farine avec le sel et les œufs battus, ajoutez le beurre fondu et ajoutez le lait petit à petit. Cuisez les crêpes des deux côtés dans de l'huile. Laissez votre enfant les fourrer et les rouler.

Peintures de neige

Matériel: *neige,*
peinture à doigt non toxique, eau,
quelques flacons à pistolet gicleur

Quoi de plus beau qu'une peinture de neige sur le manteau blanc du jardin? Diluez la peinture à doigt dans de l'eau et versez-la dans un flacon à pistolet gicleur. Prévoyez de nombreux flacons, pour que votre enfant puisse peindre en plusieurs couleurs. Dites-lui que le tapis de neige est une immense feuille de papier et qu'il peut peindre tout son saoul.

295

Peinture sur plâtre

Matériel: *plâtre, assiette en carton,*
petits objets sans valeur

Préparez le plâtre comme indiqué sur le paquet, et versez-le sur une assiette en carton. Laissez votre enfant y enfoncer toute une série de petits objets de la nature (glands, noisettes, petits cailloux, coquilles) ou de la cuisine (graines, pâtes, petits pois, haricots). Quand le plâtre est dur, enlevez-le de la forme pour le laisser sécher.

Faire des perles

296

Matériel: *pâte à modeler, aiguilles à tricoter, peinture*

C'est très amusant d'avoir des perles, mais les enfants préfèrent les créer eux-mêmes. Ce n'est pas difficile: il faut façonner des petites et des grosses boules en pâte à modeler, que l'on pique sur des aiguilles à tricoter et que l'on laisse sécher au-dessus d'une boîte. Une fois sèches, les enfants peuvent les peindre, de préférence quand elles sont encore sur l'aiguille.

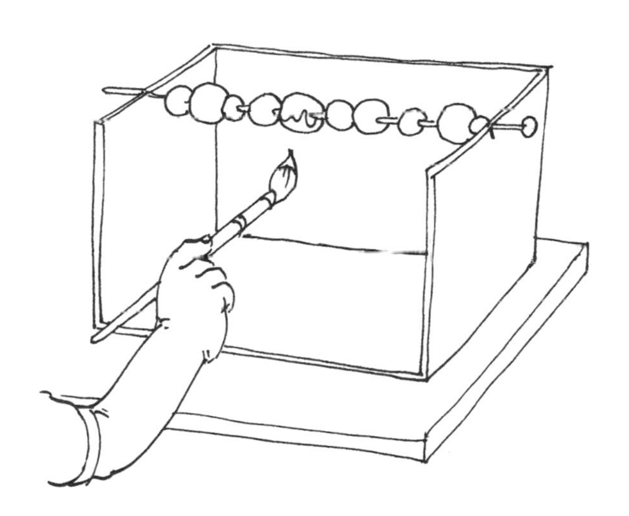

Plumes d'Indiens

Matériel: *carton, plumes, peinture ou crayons de couleurs, agrafeuse*

Découpez une bande de carton de 5 cm de large environ, un peu plus grande que le contour de la tête de votre enfant. Laissez-le piquer les plumes dans les trous et décorer son chapeau indien avec de la peinture ou des crayons de couleurs. Faites encore deux points de couture aux extrémités et les plumes iront à merveille sur sa tête.

Pour la tente d'Indiens, voir n° 106

Balle de samba

298

Matériel: *ballon, haricots, journaux, bâton, bouteille, peinture*

La balle de samba est un instrument pour danser au rythme de la musique. Elle est facile à faire avec du papier mâché.
Laissez votre enfant mettre des dizaines de haricots dans un ballon. Gonflez-le, faites un nœud, fixez l'extrémité sur un bâton dans une bouteille.
Votre enfant peut alors décorer la balle avec des bandes de papier journal collées (prévoyez au moins sept ou huit couches pour la solidifier).
Laissez-la bien sécher (cela peut demander quelques jours), après quoi votre enfant pourra la peindre.

Calendrier du temps

299

Matériel: *calendrier, crayons de couleurs*

Aidez votre enfant à tenir un calendrier du temps. Laissez-le dessiner, chaque jour à une heure précise (après le dîner, par exemple), quelques symboles sur le calendrier: un petit soleil, un nuage, des gouttes de pluie, un éclair...

300

Jeu de rôles

Les enfants adorent se glisser dans la peau de personnages imaginaires, et c'est là tout le principe du jeu de rôles. Cela vous apprendra comment votre enfant voit les autres personnes. Dites-lui par exemple qu'il peut 'être' papa ou maman pendant une heure et que vous jouez l'enfant. Mettez les autres membres de la famille au courant, pour qu'ils puissent participer. Pour corser le jeu, vous pouvez habiller l'enfant comme papa ou maman.

301

Sauce piquante aux légumes

Matériel: *pour la sauce piquante: 250 g de fromage blanc, 100 ml de crème, 2 cuillerées à soupe de persil haché, 2 cuillerées à soupe d'ail haché, 1 oignon épluché, 1 gousse d'ail pressée, un nuage de jus de citron. Comme légumes: concombres, carottes et céleri à côtes*

Laissez votre enfant mélanger tous les ingrédients pour la sauce. Il coupe ensuite tous les légumes nettoyés en tranches de plus ou moins 5 cm. Versez le mélange dans un plat et ajoutez quelques morceaux de légumes. Utilisez le reste des légumes pour la présentation sur l'assiette.

Pêche

302

Matériel: *bassine avec du sable, poissons en carton, fil de fer, corde, bâton pour chaque enfant*

Découpez d'abord quelques poissons dans du carton et faites un trou avec une perforatrice. Enfoncez-les dans le sable, trou vers le haut. Donnez à chaque enfant une canne constituée d'un bâton, d'une corde et d'un crochet en fil de fer. La pêche peut commencer. Elle sera encore plus amusante si vous accrochez à la queue de quelques poissons un bonbon emballé dans du papier!

303

Colin-maillard

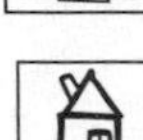

Un enfant a les yeux bandés et il essaie d'attraper les autres joueurs autour de lui. Les enfants peuvent lui parler et l'appeler, mais ils ne peuvent en aucun cas le toucher. Dès qu'un enfant est attrapé, 'l'aveugle' enlève le bandeau et le lui passe.

304

Image vivante

Dites à votre enfant que vous êtes sculpteur et qu'il est un morceau de pâte à modeler que vous allez 'modeler'. Commencez en douceur en mettant par exemple ses bras, sa tête et ses jambes dans une certaine position. Ensuite, c'est à lui de faire votre portrait.

305

Formes magiques

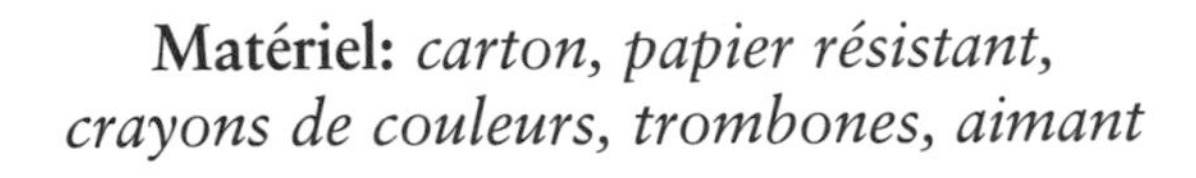

Matériel: *carton, papier résistant, crayons de couleurs, trombones, aimant*

Votre enfant dessine quelques formes simples, les découpe et les colorie. Joignez-y un petit papier et accrochez un trombone.

Fixez les formes sur un morceau de carton que vous appuyez contre deux paquets de livres. Si votre enfant déplace un aimant sous le carton, les formes se mettront à bouger.

Lancer des anneaux

306

Matériel: *bouteilles en plastique, sable, carton ou couvercles en plastique*

Remplissez quelques bouteilles de sable et découpez quelques anneaux dans du carton, ou dans des couvercles en plastique ronds. Plus les enfants sont petits, plus les cartons doivent être grands. Le but est de lancer les anneaux sur les bouteilles.

La loupe en pot

Matériel: *petit pot en verre avec couvercle qui se visse*

Apprenez à votre enfant à observer au moyen d'une loupe 'artisanale'. Prenez un petit pot en verre dont les côtés sont bien droits. Remplissez-le d'eau et revissez le couvercle. Si vous posez le pot à plat sur un dessin, votre enfant le verra en plus grand.

La danse des oranges

Matériel: *oranges*

S'il y a assez d'enfants, par exemple lors d'une fête d'anniversaire, apprenez-leur la danse des oranges.
Séparez les enfants en couples et donnez-

leur une orange pour deux. Ils doivent la tenir contre leur front, les mains dans le dos. Quand la musique commence, chaque couple commence à tourner en rond. Celui qui la laisse tomber a perdu et est éliminé. Le dernier couple qui reste est le vainqueur.

'Faire comme si'

309

1+

Les enfants imaginatifs aiment beaucoup jouer à 'Faire comme si'. Présentez-leur une situation: par exemple, il y a un grand pommier au milieu de la pièce et l'enfant doit cueillir un panier plein de pommes. Il peut également être un clown avec d'énormes chaussures à ses pieds. Comment votre enfant traversera-t-il la pièce?

Fouet à bulles

Matériel: *eau savonneuse, fouet à crème fraîche*

Une variante aux bulles de savon soufflées est le 'fouet à bulles'. Donnez à votre enfant un bassin avec de l'eau savonneuse et un fouet à crème fraîche. En battant l'eau, il produira d'énormes bulles.

311

Œuf à la russe

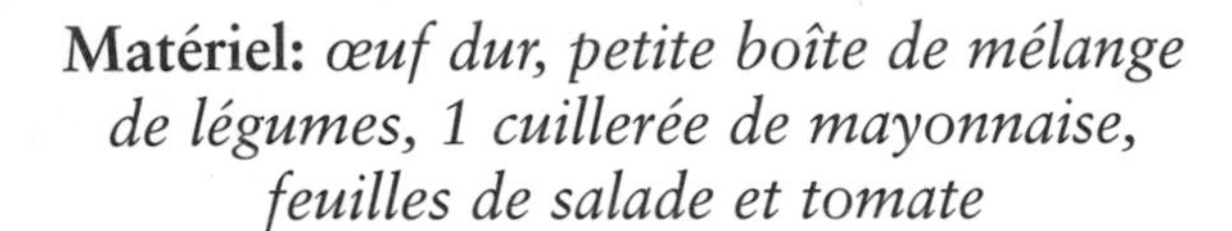

Matériel: *œuf dur, petite boîte de mélange de légumes, 1 cuillerée de mayonnaise, feuilles de salade et tomate*

Préparez le festin: laissez s'égoutter les légumes, nettoyez la salade, découpez les tomates en tranches. Laissez votre enfant écaler lui-même l'œuf (donnez d'abord quelques coups sur l'œuf pour casser la coquille) et le couper dans le sens de la longueur. Mélangez ensuite les légumes avec un peu de mayonnaise.
Quand tout est prêt, n'oubliez pas de décorer l'assiette: d'abord les feuilles de salade, puis les légumes mélangés, les deux moitiés d'œuf et les tranches de tomate.

312

Ailleurs

Allez vous asseoir avec votre enfant dans une pièce assez petite où il n'y a pas trop d'objets, par exemple la salle de bains ou la chambre. Regardez bien autour de vous et discutez de tout ce qu'il y a à voir. Ensuite, faites sortir votre enfant un instant et changez quelque chose de place. Va-t-il trouver ce qui est 'ailleurs'?

Une immense tente

Matériel: *draps, corde à linge, pinces à linge, quelques objets lourds*

Donnez à votre enfant quelques vieux draps pour fabriquer une grande tente. Quand celle-ci est prête, proposez-lui différents 'mondes': un cirque, une maison hantée. Les enfants plus âgés proposeront eux-mêmes leurs idées. Pour stimuler l'imagination des tout-petits, placez quelques objets thématiques çà et là dans la tente.

Souffler des bulles de savon

Matériel: *produit de vaisselle, eau, glycérine, fil de fer*

Tous les enfants aiment faire des bulles de savon. La recette de l'eau savonneuse est simple: une dose de produit de vaisselle pour deux doses d'eau. Pour des bulles résistantes, ajoute 1/2 litre de produit de vaisselle et une cuillerée de glycérine. Le souffleur consiste en un fil de fer où vous faites une boucle.

Poster de bébé

Matériel: *papier résistant, vieux magazines, ciseaux, colle*

Si votre enfant va bientôt avoir un petit frère ou une petite sœur, vous pouvez l'y préparer en partant ensemble à la recherche d'images qui concernent les bébés: une femme enceinte, un paquet de langes, un biberon, un hochet, des vêtements de bébé et bien entendu le bébé lui-même. Découpez les images et collez-les sur du papier. Expliquez-lui également les choses qui vont changer quand son petit frère ou sa petite sœur arrivera.

Baguettes chinoises

316

Matériel: *corn-flakes, petites assiettes, baguettes*

Donnez à chaque enfant une assiette avec des corn-flakes et deux baguettes. Le but est que les enfants vident leur assiette le plus rapidement possible, en utilisant uniquement les baguettes.

Animaux qui chantent

Vous pouvez jouer avec les plus grands qui connaissent déjà quelques chansons. Chacun choisit un cri d'animal et chante une chanson en remplaçant les mots par ce cri. Par exemple, 'Frère Jacques' devient 'Coin-Coin Coin-Coin' ou 'Miaouw-Miaouw Miaouw-Miaouw'. Les autres enfants doivent deviner de quelle chanson il s'agit.

Baguette magique

Matériel: *bâton*

Dites aux enfants que vous avez une baguette magique. Si vous leur touchez une partie du corps, ils doivent la faire bouger. Mettez ensuite de la musique pendant que les enfants vous regardent, attentifs et immobiles. Touchez de temps en temps une main, un bras, une lèvre, un pied... Ils doivent alors commencer à bouger. Après un certain temps, ils commenceront tous à danser.

Jeu de cartes

Matériel: *deux jeux de cartes*

Les enfants doivent sortir du jeu tous les rois, les dames et les valets: on n'en a pas besoin. Distribuez un jeu de cartes aux enfants qui sont assis en rond. Gardez l'autre jeu pour vous, tirez une carte et montrez-la. Tous ceux qui ont une carte avec le même nombre de points (la couleur n'est pas prise en compte) peuvent la déposer.
Le jeu est terminé quand toutes les cartes sont déposées.

Ballerine

Matériel: *petite balle en polystyrène, bouchon, vrille manuelle ou électrique, dessous de verre, long clou, peinture*

Percez un trou dans la balle, le bouchon et le dessous de verre, suffisamment grand pour passer un long clou. Voilà votre ballerine, que votre enfant doit bien entendu d'abord décorer. Il pourra ensuite la faire danser sur la table.

Circuit de billes

Matériel: *sable, billes*

Si vous allez à la plage, prenez quelques billes avec vous et faites avec votre enfant une grande montagne de sable humide. Tracez un 'circuit' de haut en bas le long des flancs de la montagne et laissez les billes rouler!

Double voyage-découverte

322

Matériel: *deux feuilles de papier, crayon*

Prenez deux feuilles de papier de même grandeur et séparez-les en plusieurs cases. Posez-les à l'extérieur sur une table de jardin ou sur le sol. Partez à la recherche de différentes sortes de fleurs, de feuilles, de noisettes ou de graines. Mettez quelque chose de différent sur chaque case de la première feuille. Laissez ensuite votre enfant chercher les produits correspondants dans la nature et les poser sur le papier, case par case.

Boule piquante

323

Matériel: *boule de laine, cure-dents*

Transformez une pelote de laine en boule piquante, à l'aide de cure-dents. Faites s'asseoir les enfants en cercle. Pendant que la musique joue, ils doivent se passer la boule, très vite car personne n'a envie de se faire piquer! Dès que la musique s'arrête, celui ou celle qui a la boule en mains est éliminé.

324

Pauvre petit chat

Faites asseoir les enfants en cercle et mettez-vous au centre. Dites-leur qu'ils ne doivent pas rire pendant ce jeu.
Vous êtes en effet un pauvre petit chat qui vient demander de l'attention.
Mettez-vous maintenant à quatre pattes et dirigez-vous vers un enfant en miaulant. Il doit vous caresser et dire sérieusement 'Pauvre petit chat'. Allez vers un autre enfant en miaulant. Le premier qui éclate de rire devient à son tour le pauvre petit chat.

325

Boulettes de fromage

Matériel:
6 cuillerées de fromage râpé,
2 cuillerées de beurre doux,
4 cuillerées de farine, Rice Krispies ®

Mélangez le fromage et le beurre, la farine et les Rice Krispies ® dans un bol et remuez bien le tout. Laissez votre enfant faire des boulettes et les poser sur la plaque du four. Cuisez-les une dizaine de minutes dans un four préchauffé (180 - 200°C) et laissez-les refroidir. C'est délicieux, surtout avec un peu de ketchup.

Kangourou bondissant

Matériel: *boîte d'allumettes, colle, papier à dessin, crayons de couleurs*

Découpez un kangourou sur du papier à dessin et laissez votre enfant le colorier. Attachez le côté A du kangourou sur une boîte d'allumettes et collez le côté B sur le petit tiroir (voir dessin). En ouvrant et en fermant la boîte, le kangourou sautera de haut en bas.

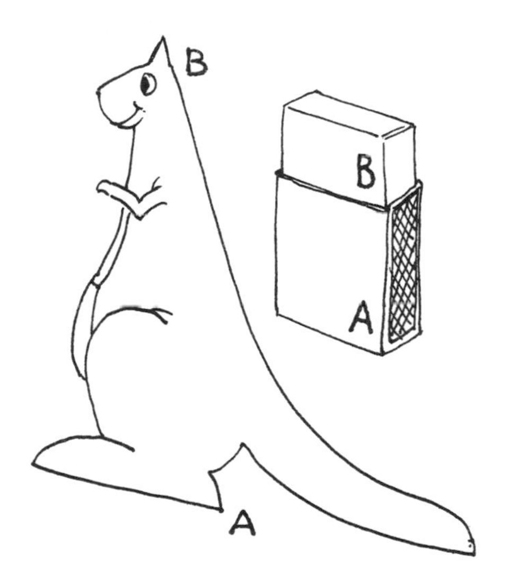

327

Tambours à écho

Matériel: *deux tambours et des baguettes*

Pour ce jeu, vous avez besoin de deux tambours identiques et de baguettes. Vous pouvez les fabriquer vous-même (voir n° 208). Votre enfant doit bien vous écouter pendant que vous lui jouez un rythme simple. Commencez par exemple par trois coups, et demandez-lui de vous imiter. S'il réussit, faites un rythme en quatre coups, etc.
Vous pouvez ensuite inverser les rôles: à vous de reproduire le rythme qu'il vous joue. Ce n'est pas si évident!

328

Train de concombres

Matériel: *concombre, grosse carotte, bâtonnets de cocktail, aliments divers*

Lavez le concombre et coupez-le en deux dans le sens de la longueur. Laissez votre enfant enlever les pépins avec une cuiller. Faites ensuite des tranches de plus ou moins 10 cm: ce sont les wagons du train. Coupez ensuite la carotte nettoyée et épluchée en rondelles: ce sont les roues, que vous accrochez avec les bâtonnets de cocktail. A quoi peut servir ce train? A transporter des blocs de fromage, de la salade de saumon, du fromage blanc... Votre enfant peut remplir lui-même les wagons.

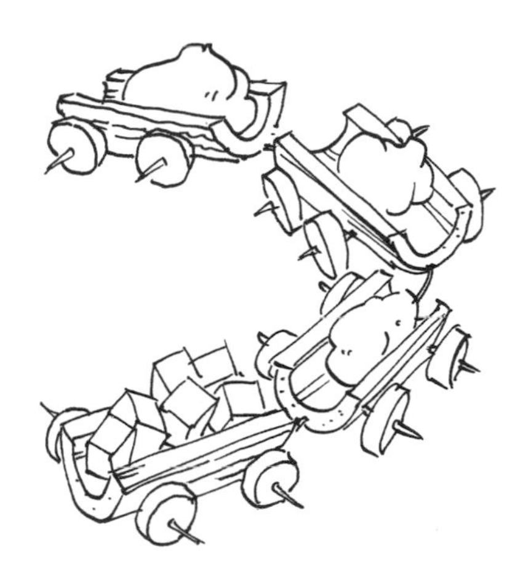

Découvertes sur la plage

329

Il y a beaucoup de découvertes à faire sur une plage: des coquillages, des cailloux, du bois, des morceaux de verre, des algues... Donnez des missions à votre enfant, comme: 'Cherche le plus petit coquillage. Apporte-moi un coquillage blanc.' Ramenez les plus jolies découvertes à la maison pour les utiliser plus tard dans des bricolages.

330

Jeu de l'ombre

Matériel: *craie*

Un jour d'été, de préférence en fin d'après-midi quand les ombres s'allongent, vous pouvez jouer au jeu de l'ombre. Demandez à votre enfant de prendre une certaine posture, par exemple bras et jambes tendus, et dessinez à la craie les contours de son ombre et de ses pieds. Laissez votre enfant faire un petit tour avant de reprendre sa place, les pieds à l'intérieur des contours de craie de ses empreintes. Il doit essayer de recréer une ombre parfaitement identique aux contours dessinés.

Je t'entends bien

331

Matériel: *plusieurs instruments de musique ou objets sonores*

Chaque enfant reçoit un instrument ou un objet qui produit un certain son (deux cuillers, une boîte avec des haricots...). Deux des enfants ont les mêmes instruments. Bandez les yeux de l'un d'eux. Les autres enfants se déplacent en jouant de la musique dans la pièce. Le garçon aux yeux bandés doit retrouver le son de son instrument dans le 'brouhaha'. S'il réussit, un autre enfant vient le remplacer.

Feuilles de chocolat

332

Matériel: *feuilles de roses, chocolat*

Ramassez avec votre enfant plusieurs feuilles de roses. Faites fondre du chocolat au bain-marie (deux poêlons l'un sur l'autre, avec du chocolat dans celui du dessus et de l'eau dans celui du dessous). Couvrez un côté des feuilles de roses avec le chocolat fondu. Posez les feuilles, le côté 'au chocolat' vers le haut, sur du papier sulfurisé. Dès qu'elles sont sèches, emballez-les délicatement.

333

On ne peut pas!

Les enfants plus âgés connaissent de nombreuses histoires. Racontez-en une où vous glissez plusieurs erreurs. Racontez par exemple que le Petit Chaperon rouge rencontre un éléphant dans le bois. Votre enfant doit repérer les fautes que vous faites. Vous pouvez également inventer une histoire et glisser des phrases comme: 'J'ai ensuite pris la voiture et je me suis envolé.' Ce n'est pas seulement un bon jeu, mais également un excellent exercice de logique.

334

La tour

Matériel: *plusieurs boîtes de formes et de dimensions différentes*

Déposez plusieurs boîtes au milieu de la pièce, des grandes et des petites. Les enfants prennent place à quelques pas des boîtes, chacun sur un petit coussin. Le but est d'aller chacun à son tour chercher une boîte et de construire, lentement mais sûrement, une immense tour. S'ils sont intelligents, ils prendront bien entendu les grosses boîtes en premier. Qui bâtira la plus grande tour, et la plus stable?

Bateau-dés

335

Matériel: *papier, crayons de couleurs, dé*

Ce simple jeu de dés, dérivé du classique 'jeu du cochon', est destiné aux enfants plus âgés qui savent déjà un peu compter. Dessinez pour chaque enfant un bateau à voiles avec six cases où vous écrivez les chiffres de 1 à 6 (pour les enfants qui ne savent pas lire, remplacez les chiffres par des petites boules). Le but est que chaque enfant colorie son bateau le plus vite possible, mais il ne peut colorier une case que si le dé montre le bon nombre de points.

336

Vrai ou faux?

Matériel: *petits drapeaux*

Faites deux drapeaux pour chaque enfant: un drapeau 'oui' (avec le mot OUI ou un visage souriant) et un drapeau 'non' (avec le mot NON ou un visage fâché).
Asseyez-vous près des enfants et dites-leur des choses vraies (les enfants doivent alors montrer le drapeau 'oui') ou fausses (le drapeau 'non'). Exemples:
– Il neige dehors.
– Je suis assis sur une chaise.
– J'ai un chapeau sur mes mains.

337

Bouchées visages

Matériel:
biscuits secs ronds,
crème fraîche, sucre, raisins,
amandes, cerises confites

Vous pouvez faire ces bouchées avec des enfants à partir de 2 ans.
Battez de la crème fraîche et sucrée, que vous mettez sur les biscuits.
Laissez ensuite votre enfant dessiner deux yeux (raisins secs), un nez (une amande) et une bouche (une demi-cerise confite).

Traîneaux de plage

Matériel: *grand drap de bain résistant*

Il ne faut pas nécessairement qu'il neige pour jouer au traîneau avec votre enfant. On peut aussi jouer sur le sable ou dans les dunes. Asseyez votre enfant sur un grand drap et... tirez!

339 Course de coccinelles

Matériel: *boîte à œufs, feutres de couleurs, grosses billes*

Découpez les 'poches' des boîtes à œufs (voir dessin) que les enfants transforment en coccinelles. Ils peuvent les colorier de différentes couleurs et ajouter des taches ou des points. Placez la coccinelle sur une grosse bille, et elle roulera.
Quelle coccinelle ira le plus loin?

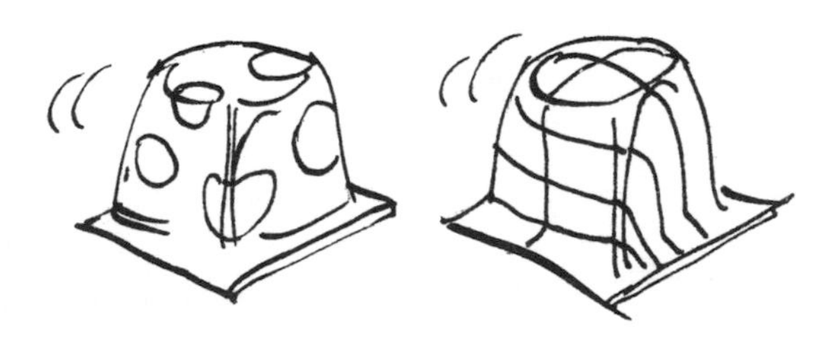

340 Boîte à devinettes

Matériel: *boîte, objet, adhésif*

Cachez dans une boîte un objet que tous les enfants connaissent, et fermez la boîte avec de l'adhésif. Dites-leur que vous avez trouvé une boîte secrète, dont personne à part vous ne connaît le contenu. Faites-la passer entre les enfants et laissez-les la secouer, pour essayer de deviner l'objet secret. Encouragez-les à poser des questions dont les réponses les amènent à la solution, comme 'Est-ce que c'est rouge? C'est à papa ou à maman? Ça fait du bruit?' Qui devinera en premier?

Pierre contre le mur

341

Matériel: *mur sans fenêtres, craie, grosse pierre et plusieurs petites, peinture ou feutres*

Donnez cinq pierres à chaque enfant. Ils peuvent les colorier au feutre ou à la peinture, chacune dans une couleur différente. Dessinez ensuite une ligne à trois pas du mur. Les enfants doivent se placer derrière avec leurs pierres.
Jetez vous-même la grosse pierre contre le mur. Ensuite, chaque enfant peut à tour de rôle jeter ses petites pierres, dans le but de les amener le plus près possible de la grosse, à condition qu'elles touchent d'abord le mur. L'enfant qui arrive le plus près de la grosse pierre a gagné et peut la jeter à la partie suivante.

342 Fouille aux trésors

Matériel: *sable, surprise*

Cachez une surprise dans le sable d'une plage ou d'un bac à sable. Dites aux enfants que vous avez caché un trésor et qu'ils doivent le retrouver.

343 Balle qui éclabousse

Matériel: *petite piscine, balle*

Lors des chaudes journées d'été, le jeu de la balle qui éclabousse permet aux enfants de se rafraîchir. Ils prennent place autour d'une petite piscine remplie d'eau. Ils essaient de se mouiller l'un l'autre en jetant une balle dans l'eau de toutes leurs forces.

344 Château de cartes

Matériel: *cartes à jouer*

La construction d'un château de cartes exige beaucoup de patience et d'habileté. Commencez avec une dizaine de cartes et, quand le château s'effondre, comptez les cartes tombées. S'il y a plus d'enfants, vous pouvez organiser un match en laissant chacun construire son propre château. Qui bâtira le plus grand?

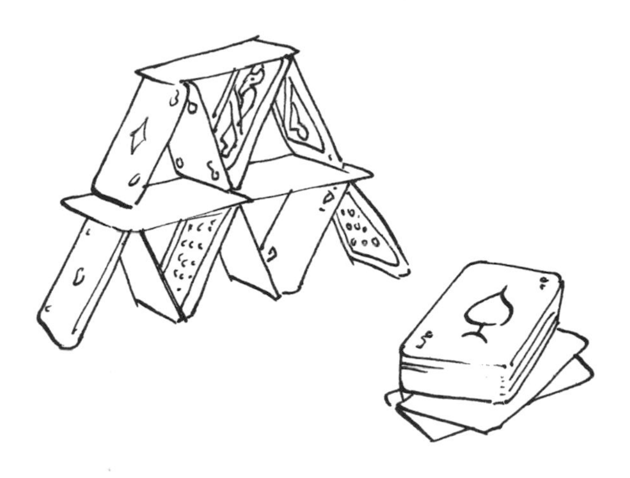

Animaux de neige

Matériel: *neige*

Quand il a bien neigé dehors, les enfants adorent construire un bonhomme de neige. C'est bien, mais cela ne doit pas nécessairement être un bonhomme classique. On peut également faire des animaux: un serpent qui rampe, un chat, une pieuvre à huit bras...

Personnages à manger

Matériel: *légumes et fruits, bâtonnets de cocktail, couteau*

Etendez une grande feuille de papier sur la table et mettez dessus toute une série de fruits et de légumes (lavés): carottes, radis, concombres, tomates, salade (quelques feuilles suffisent), persil, raisins, pomme, banane, quartiers d'orange. Prévoyez également un couteau, une planche et quelques bâtonnets de cocktail. Faites d'abord un personnage ou une forme comme modèle (inspirez-vous des dessins) et laissez ensuite votre enfant suivre son imagination.

Jeu d'automne

347

1+

Matériel: *râteau, brouette pour enfants*

Un enfant est parfaitement capable de ramasser les feuilles mortes, et ça l'amuse beaucoup. Surtout s'il peut utiliser sa propre brouette pour amener les feuilles sur un grand talus.
Votre enfant adore aussi jouer avec les feuilles?
Laissez-le sauter tranquillement et les lancer en l'air... C'est quand même lui qui les ratissera!

Serpent journal

Matériel: *vieux journal*

Vous pourrez tenir en haleine deux joueurs avec ce jeu d'adresse, même en voiture. Le but est de fabriquer le plus long serpent possible à partir d'une double page de journal.
Expliquez d'abord aux enfants ce qu'ils ignorent peut-être: 'Plus les bandes découpées sont fines, plus le serpent sera long.'
Celui qui fait le plus long serpent reçoit une récompense.

349 Ma canne de promenade

Matériel: *branche droite et résistante, peinture, vernis*

Cherchez avec votre enfant une jolie branche qui peut servir de bâton de promenade. Ramenez-la à la maison. Laissez votre enfant la peindre et ajoutez vous-même une couche de vernis. C'est agréable d'avoir une canne pour marcher, pour remuer les feuilles ou pour montrer quelque chose.

350 Mini-safari

Matériel: *petits pots, pince, ciseaux*

Partez à la recherche d'insectes et d'autres animaux comme des araignées, des limaces, des cloportes et des vers. Vous pouvez soit les prendre avec une pince et les mettre dans un pot, soit couper la feuille sur laquelle ils se trouvent et la mettre dans le pot. Ne laissez pas votre enfant s'approcher des abeilles ou des guêpes, dites-lui que ces animaux-là piquent. Consacrez une heure de temps à la maison pour examiner ces animaux et rendez-leur ensuite la liberté.

Jeu d'ombres

351

Matériel: *lampe*

Au lieu de lire une histoire avant d'aller dormir, vous pouvez jouer avec les ombres. Dirigez une lampe vers un mur plat et essayez de créer avec vos mains les ombres d'animaux familiers. Votre enfant doit les deviner, puis il peut faire ses propres ombres et vous faire deviner.

352

Guirlande de pommes

Matériel: *pommes, perles, fil de Nylon*

Pelez les pommes, enlevez les yeux avec un éplucheur et coupez-les en fines tranches de 0,5 cm d'épaisseur. Trempez les tranches dans une solution salée froide (50 g de sel dans 4,5 l d'eau) pour changer la couleur. Laissez votre enfant enfiler les pommes sur le fil, en alternance avec les perles. Laissez-les ensuite pendre au soleil ou dans un grenier. Une ou deux semaines plus tard, elles auront séché et les rondelles de pommes pourront être mangées comme des bonbons.

353

Jeu d'éclaboussures

Matériel: *ballon, flacon à pistolet gicleur*

L'eau attire énormément les enfants, surtout avec des gicleurs. Faites-en donc un jeu. Posez un gros ballon gonflable sur un seau ou sur un gobelet et donnez-lui un flacon à pistolet, par exemple celle d'un produit ménager bien rincée. Le but est de faire tomber à distance le ballon du gobelet.

Pêcher des lettres

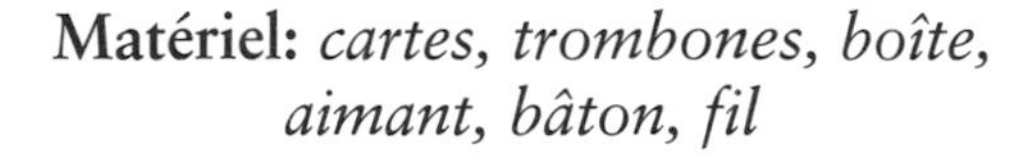

Matériel: *cartes, trombones, boîte, aimant, bâton, fil*

Les grands enfants qui commencent à lire peuvent essayer de pêcher les lettres. Préparez donc plusieurs cartes que vous attachez avec un trombone, et que vous mettez dans une boîte. Donnez à chaque enfant une canne à pêche avec un aimant. Chacun doit à son tour pêcher une lettre. S'il la connaît, il peut la garder, sinon il la remet dans la boîte.
Qui pêchera le plus de lettres?

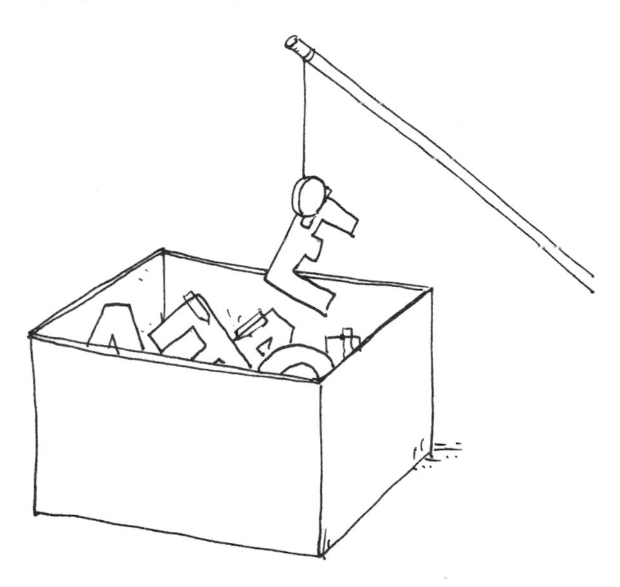

355

Boulettes de grains

Matériel: *1/2 tasse de beurre de cacahuètes, 1/3 de tasse de miel, 1/2 tasse de noix de coco râpées, 2 tasses de céréales, raisins secs, dattes*

Vous pouvez préparer cet en-cas nourrissant avec votre enfant. Mélangez le beurre de cacahuètes, le miel, les noix de coco, les raisins secs et les dattes dans un bol. Ajoutez une demi-tasse de céréales au mélange et versez le reste dans un plat. Laissez votre enfant former des boulettes et les rouler dans les céréales. Mettez-les ensuite dans le réfrigérateur pour les durcir.

356

Attraper les flocons de neige

Matériel: *neige, carton noir*

S'il neige à gros flocons, votre enfant, bien couvert, peut sortir dehors avec un morceau de carton noir pour attraper les flocons. Il peut ensuite les admirer de près. Expliquez-lui pourquoi ils ne restent pas longtemps sur le carton (ils fondent car le carton n'est pas assez froid).

Plantes autocollantes

357

1+

Matériel: *graines qui s'agrippent*

Certaines plantes, comme la bardane, ont des graines pourvues de crochets, qui restent accrochées au pelage des animaux qui passent, pour être disséminées sur une grande distance. Les enfants peuvent faire de ces graines d'amusants autocollants sur leur tee-shirt. Enlevez-les cependant avant de passer le tee-shirt à la machine!

Ballon de sable

358

Matériel: *ballon, entonnoir, sable*

Votre enfant peut fabriquer un ballon de sable sur la plage ou dans le bac à sable. Il doit enfoncer un entonnoir dans le ballon et le remplir de sable jusqu'à ce qu'il soit gros. Faites un nœud et laissez à votre enfant le loisir de voir ce qu'il va en faire: il peut le 'pétrir' par exemple.

359

Queue d'âne

Matériel: *corde, crayon, pots de confiture*

Chaque enfant reçoit une corde de 2 m de long à laquelle pend un crayon. La corde est nouée vers le milieu pour que le crayon pende à environ 10 cm du sol. Mettez derrière chaque enfant un pot de confiture: ils doivent essayer d'enfoncer le plus vite possible leur 'queue' dans le pot.

Œuf à la crème

Matériel: *coquille d'œuf vide, crème, fraise ou quelques baies*

Piquez dans l'œuf cru avec une aiguille et percez un trou assez grand pour pouvoir y passer une cuiller.
Laissez l'œuf se vider dans un bol (vous en ferez une omelette plus tard) et rincez bien la coquille. Quand celle-ci est sèche, placez-la dans un coquetier et laissez votre enfant y verser délicatement la crème. Il le décorera ensuite avec une fraise ou quelques baies.

Lancer de boutons

Matériel: *boutons, Velcro, sachets*

Marquez une ligne au sol avec du Velcro, à environ un mètre du mur. Donnez dix boutons à chaque enfant et faites-les se mettre derrière la ligne.
Le but est de lancer chacun à son tour les boutons contre le mur. L'enfant dont le bouton tombe le plus près du mur peut en prendre d'autres dans son sachet. Le jeu se termine quand un des enfants n'a plus de boutons.

362

Semer des petits pois

Matériel: *petits pois secs, grandes et petites assiettes, pailles*

Une grande assiette de petits pois est posée au milieu de la table. Chaque enfant a devant lui une petite assiette et une paille. Avec celle-ci, il doit ramener le plus de petits pois vers son assiette.

363

Gratte-ciel

Matériel: *gobelets en plastique, dessous de verre en carton*

Donnez aux enfants plusieurs gobelets en plastique et des dessous de verre. Demandez-leur de construire un immense gratte-ciel en empilant un gobelet et un dessous de verre en alternance.

364

Jeu de quilles

Matériel: *neuf bouteilles en plastique vides, quelques balles*

Prenez neuf bouteilles en plastique que vous présentez comme sur le dessin.

Donnez à votre enfant quelques petites balles et laissez-le essayer de renverser le plus de quilles. S'il y a plusieurs enfants, vous pouvez organiser un match: qui peut renverser toutes les quilles en un coup?

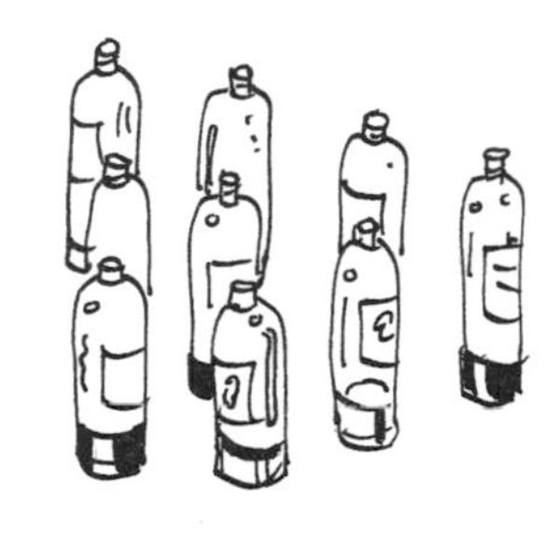

Jouer à pile ou face avec des allumettes

Matériel: *allumettes*

Quand on joue avec plusieurs enfants, il faut souvent décider qui commence. On peut le faire en jetant une pièce en l'air, mais aussi avec des allumettes. Donnez à chaque enfant le même nombre d'allumettes, qu'ils prennent dans une main. Ils les jettent et essaient de les rattraper sur le dos de la main. Celui qui en rattrape le plus peut commencer.

Cette édition par: Chantecler, Belgique-France.
Texte: Son Tyberg
Illustrations: Toon Van Yshoven
Traduction française: Cédric Gervy
D-MCMXCVII-0001-197